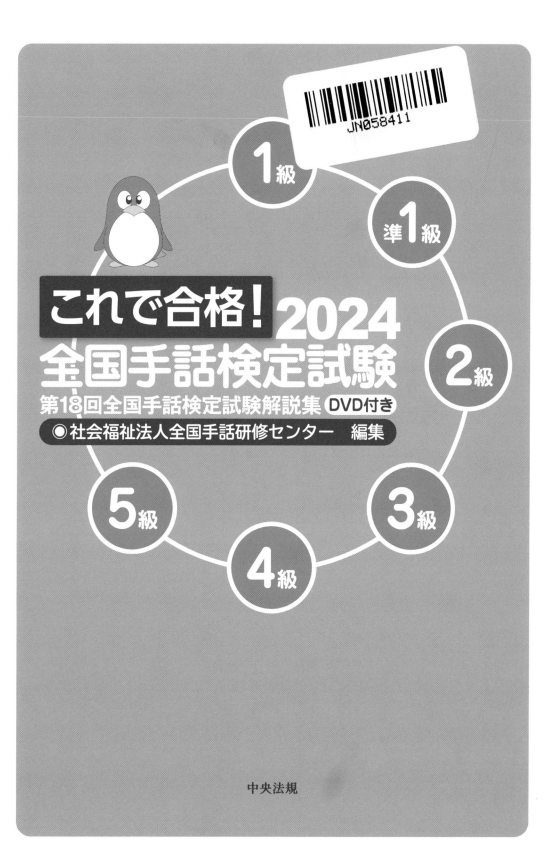

1級

準1級

2級

3級

4級

5級

これで合格！2024
全国手話検定試験

第18回全国手話検定試験解説集 DVD付き

◉ 社会福祉法人全国手話研修センター　編集

中央法規

はじめに

～『これで合格！2024全国手話検定試験』の刊行にあたって～

　まずは、令和6年能登半島地震で被災されたみなさまに心よりお見舞い申し上げますとともに一日も早い復旧・復興をお祈り申し上げます。

　全国手話検定試験は、手話のできる人が一人でも増えることを願い、ろう者が安心して暮らせる社会、手話でコミュニケーションができる社会の実現をめざして、2006（平成18）年度に開始しました。新型コロナウイルス感染症が、2023（令和5）年5月に2類感染症から5類感染症へと移行され、手話を取り扱ったドラマや映画が放映された後押しもあり、当試験では主に感染症等拡大防止対策として定員制を継続しながらも、多くの方々に受験していただきました。たくさんの方々に手話に興味や関心をもってもらえたこと、諦めず引き続き学ぶ意欲をもってもらえたことを、大変嬉しく思っております。

　この試験の実施、運営は、一般財団法人全日本ろうあ連盟、一般社団法人全国手話通訳問題研究会、一般社団法人日本手話通訳士協会の関係団体をはじめ、多くの関係者の方々のご尽力によるものです。また、公益財団法人一ツ橋綜合財団より長年にわたって助成をいただいています。

　この紙面をお借りして、あらためて厚く御礼申し上げます。

　さて、この試験の目的は、「手話の知識に加えて、面接委員と手話で会話することにより、ろう者と手話でどの程度コミュニケーションができるのか」を評価・認定することです。手話を学ばれているみなさんがこの試験をとおして、ろう者と手話でコミュニケーションする楽しさを知っていただくこと、また、手話学習の継続や励み、目標として受験していただくことを願っています。

　この解説集は、DVD（WEB）映像付き冊子です。

＊DVDディスク

　読み取り試験問題と合格された受験者の手話での表現、会話試験の参考解答を収録しています。昨年度よりWEBでも同じ映像を視聴できるようになり、外出先でも気軽にご覧いただくことができます。

＊解説集（この冊子）

　読み取り試験問題を文章化したもの、解答用紙（マークシート）、DVDやWEBに収録した参考解答の講評、筆記試験問題とその解説、小論文の参考解答例や講評および解説などを掲載しています。

　これらはすべて、第18回全国手話検定試験で使用したもので、方法や内容を含め実際の試験が体験できる一冊になっています。この解説集をご自身はじめ手話サークルや職場等でも学習の参考として、ぜひともご活用いただき、一人でも多くのみなさんが全国手話検定試験にチャレンジされることを期待しています。

2024年6月

社会福祉法人全国手話研修センター

目 次

全国手話検定試験とは？

1．全国手話検定試験が始まったのはいつから？
2006（平成18）年から始まりました。

2．試験を行っているところはどこ？
社会福祉法人全国手話研修センターです。京都にあります。

3．全国手話研修センターはいつ、どこにできたの？
2003（平成15）年9月に、JR嵯峨嵐山駅（京都市）の駅前にオープンしました。

4．全国手話研修センターはどうしてできたの？
　手話を広めたり、手話の研究をしたり、手話通訳者を育てたり、手話通訳者を育てるための講師が勉強できる施設がほしいという声に応えてできました。

　ろう者の団体（「一般財団法人全日本ろうあ連盟」）、手話サークルに通っている人や手話通訳者などの団体（「一般社団法人全国手話通訳問題研究会」）、手話通訳士の団体（「一般社団法人日本手話通訳士協会」）など、多くの人たちの願いが実ってつくられた施設です。厚生労働大臣認可の手話通訳事業等を行う、全国初の社会福祉法人施設です。

5．試験の目的は何？
　手話のできる人が一人でも増えることを願って、ろう者が安心して暮らせる社会、ろう者が生活のいろいろな場面で、手話でコミュニケーションができる社会（情報バリアフリーの社会）をつくることをめざしています。

　手話を学ぶ人たちから「手話通訳の資格は要らないが、自分がろう者とどれくらい話ができる力をもっているかを知りたい」という声があるように、手話でコミュニケーションができる力を知ることも試験の目的の一つです。

　全国手話検定試験を受けられるみなさんをはじめ、一人でも多くの人にろう者と手話でコミュニケーションをする楽しさを知っていただき、「全国手話検定試験」で自分のレベルを知ることで、地域のろう者との交流や仕事などに活用していただきたいと願っています。

　また、全国手話検定試験に合格された方が、そのレベルでどのようなことをめざすのか、活用例等を盛り込み「全国手話検定試験　Can-doリスト」を作成しました。このリスト

は、各級ごとの到達度のめやす、おおよその学習歴、手話を読み取る力、手話で表現する力、具体的な活用例を一覧表にしたものです。10〜11ページにありますので、参考にしてください。

6. 全国手話検定試験の特徴は何？

　手話を学び、学んだ手話を使ってろう者と実際にどれだけコミュニケーションができるか、ということを大切にしています。そのため、ろう者の面接委員と手話でコミュニケーションをする面接試験を、すべての級で取り入れて評価していることが大きな特徴です。

7. 全国手話検定試験を行うためには？

　全国手話研修センターが試験のための計画や準備をして、一般財団法人全日本ろうあ連盟、一般社団法人全国手話通訳問題研究会、一般社団法人日本手話通訳士協会、手話を広める知事の会、全国手話言語市区長会、特定非営利活動法人全国聴覚障害者情報提供施設協議会、一般社団法人全日本難聴者・中途失聴者団体連合会、認定NPO法人障害者放送通信機構、全日本ろう学生懇談会とともに協力し合って行っています。

8. 受験料は？

　各級の受験料は、以下の表のとおりです（2024（令和6）年4月1日改定）。

	一　般	小・中学生		一　般	小・中学生
5級	4,700円	2,700円	2級	8,000円	6,600円
4級	5,300円	3,300円	準1級	9,300円	8,000円
3級	6,000円	4,000円	1級	10,600円	9,300円

（消費税込）

9. 受験会場は？

　全都道府県で試験が受けられるように準備をすすめていますが、毎年試験を行う会場が変わりますので、詳細は全国手話研修センターのホームページをご覧になるか、お問い合わせください（9ページに連絡先を掲載しています）。

10. 受験対象者（試験を受けられる人）はどんな人？

　手話を学習している方なら、どなたでも受験できます。

11．受験のめやすは？

各級の試験の領域は、以下の表のとおりです。

級	級のめやす（レベル）	おおよその学習歴	単語数
5級	自己紹介を話題に会話ができる ［名前・家族・趣味・誕生日・年齢・仕事・住所など］	6カ月	約300〜400
4級	家族との身近な生活や体験を話題に会話ができる ［1日、1週間の生活やできごと、1年間の行事やできごと、思い出や予定など］	1年	約800〜900
3級	日常生活の体験や身近な社会生活の体験を話題に会話ができる ［友達や近所の人、職場の同僚などと、子どものこと、健康のこと、職場のことなど］	1年半	約1,200〜1,400
2級	社会生活全般を話題に平易な会話ができる ［旅行、学校、公的な挨拶、仕事、福祉事務所のことなど］	2年	約2,100
準1級	社会活動の場面を話題に会話ができ、一部専門的場面での会話ができる ［学校、職場、地域、活動（自治会・保護者会・サークル・趣味）のことなど］	2年半	約2,600
1級	あらゆることを話題によどみなく会話ができる	3年	約3,500

12．試験内容は？　出題方法は？

各級の試験内容と出題方法は、以下の表のとおりです。

実技試験		筆記試験
5級・4級・3級・2級・準1級・1級		2級・準1級・1級
手話の読み取り	画面に提示される手話を見て設問の内容に合ったものを選び、マークシートに記入します。	2級、準1級、1級とも同科目とし、難易度別（初級・中級・上級）出題となっています。
手話での表現 （手話によるスピーチ）	提示されたテーマに基づいて、手話で表現（スピーチ）をします。	＊2級は四肢択一方式 ＊準1級は穴埋め方式 ＊1級は小論文方式
手話での会話 （手話による応答）	上記の表現をもとに面接委員の質問に答える方法で直接会話をします。	

13. 筆記試験の内容は？

2級・準1級・1級の筆記試験は、以下の6つが共通科目となっています。

①聴覚障害者とのコミュニケーション手段とその特徴

②耳の仕組み、障害と社会環境

③聴覚障害者の暮らし

④ろうあ者の歴史

⑤聴覚障害者関連福祉制度

⑥手話の基礎知識

14. 合格基準は？

①手話の読み取り試験、②手話での表現・手話での会話試験、③筆記試験、前記①〜③、それぞれの試験結果がおおむね70%を合格基準とします。5級・4級・3級の場合は、筆記試験はありません。

また、前記①、②の実技試験のうち②の「手話での表現（手話によるスピーチ）」試験と「手話での会話（手話による応答）」試験は、以下の観点（各級とも共通）で評価されます。

---

(1)手話での表現（手話によるスピーチ）における評価基準
手話表現の評価にあたっては、以下の5点で評価されます。
ア．手話表現のスムーズさ
イ．手話語彙の豊富さ
　　・それぞれのレベルで定められた手話単語を多く使っているか
ウ．スピーチの内容
　　・話の内容がよくわかったか
エ．表現態度
　　・まじめな態度か、一生懸命話しているか
オ．総合評価
　　・全体的な印象

(2)手話での会話（手話による応答）における評価基準
手話会話の評価にあたっては、以下の5点で評価されます。
ア．質問の把握力
　　・面接委員の手話表現の読み取りができているか
イ．手話表現力
　　・会話文として表現できているか
ウ．コミュニケーション意欲
　　・わからないときは、質問できたか
エ．表情
　　・話の内容に合った表情が豊かに表現できたか
オ．総合評価
　　・全体的な印象

【第18回全国手話検定試験の実施概要】

会場試験（10月に実施された試験）および各回の試験結果は下表のとおりです。
今回より会場試験のみの結果を公表しています。

第18回の試験会場・受験申込者数（10月会場試験）

実施級	5級	4級	3級	2級	準1級	1級	合計
試験日	2023年10月14日(土)		2023年10月15日(日)		2023年10月21日(土)		
試験会場数	52	52	51	48	27	27	46都道府県 最大52会場
受験申込者数	2,298	2,219	2,148	1,311	470	338	8,784名

各回の試験結果

		第1回 (2006)	第2回 (2007)	第3回 (2008)	第4回 (2009)	第5回 (2010)	第16回 (2021)	第17回 (2022)	第18回 (2023)
5級	受験者数	984	1,156	1,956	2,195	2,310	1,014	1,546	2,126
	合格者数	922	1,120	1,884	2,052	2,254	1,004	1,525	2,077
	合格率(%)	93.7%	96.9%	96.3%	93.5%	97.6%	99.0%	98.6%	97.7%
4級	受験者数	844	949	1,417	1,960	1,929	1,065	1,642	2,009
	合格者数	772	917	1,329	1,856	1,874	1,007	1,561	1,940
	合格率(%)	91.5%	96.6%	93.8%	94.7%	97.1%	94.6%	95.1%	96.6%
3級	受験者数		649	1,047	1,638	1,925	1,136	1,467	1,981
	合格者数		616	943	1,480	1,788	1,073	1,345	1,826
	合格率(%)		94.9%	90.1%	90.4%	92.9%	94.5%	91.7%	92.2%
2級	受験者数		236	457	644	797	720	915	1,207
	合格者数		142	341	511	695	456	794	952
	合格率(%)		60.2%	74.6%	79.3%	87.2%	63.3%	86.8%	78.9%
準1級	受験者数	189	61	95	181	203	262	364	422
	合格者数	158	47	62	162	184	159	238	348
	合格率(%)	83.6%	77.0%	65.3%	89.5%	90.6%	60.7%	65.4%	82.5%
1級	受験者数	86	91	96	120	152	196	208	308
	合格者数	55	70	77	97	112	152	174	243
	合格率(%)	64.0%	76.9%	80.2%	80.8%	73.7%	77.6%	83.7%	78.9%
全級	受験者数	2,103	3,142	5,068	6,738	7,316	4,393	6,142	8,053
	合格者数	1,907	2,912	4,636	6,158	6,907	3,851	5,637	7,386
	合格率(%)	90.7%	92.7%	91.5%	91.4%	94.4%	87.7%	91.8%	91.7%

15. 試験に関するお問い合わせ

社会福祉法人全国手話研修センター

全国手話検定試験事務局

〒616-8372

京都府京都市右京区嵯峨天龍寺広道町3-4

TEL　075-873-2646（代表）

　　　075-871-9741（事務局直通）

FAX　075-873-2647

URL：https://www.com-sagano.com/

E-mail：syuwakentei@com-sagano.com

全国手話検定試験　Can-doリスト

評価レベル	到達度のめやす	おおよその学習歴	手話を読み取る力
5級	ろう者との会話に興味をもち、自己紹介を話題に手話で会話ができる程度	6カ月	・日常的な挨拶の表現を理解することができる（おはよう、こんにちは、ありがとうなど）。 ・日常生活のなかで使う数字を読み取ることができる（番号、生年月日、年齢など）。 ・自己紹介や簡単な会話の表現を読み取り、その意味を理解することができる（名前、家族、趣味、仕事、好き、嫌い、できる、できない、得意、苦手など）。 ・簡単な指示の表現を読み取り、その意味を理解することができる（行こう、どちらなど）。
4級	ろう者と会話をしようとする態度をもち、1日、1週間、1カ月、1年間等の時間に関する表現を理解し、家族との身近な生活や日常生活の体験を話題に手話で会話ができる程度	1年	・時の経過を表す単語を理解し、その意味を読み取ることができる。 ・1日の生活やできごとをゆっくり話せば、その意味を理解することができる。 ・1週間の生活やできごとをゆっくり話せば、その意味を理解することができる。 ・1カ月の生活やできごとをゆっくり話せば、その意味を理解することができる。 ・1年間の行事や思い出や予定などについて、ゆっくり話せばその意味を理解することができる。
3級	ろう者と積極的に会話をしようとする態度をもち、日常の生活体験や身近な社会生活の体験を話題に手話で会話ができる程度	1年半	・日常生活のなかでの興味や関心のある話題に関する話を読み取り、その意味を理解することができる（趣味、スポーツなど）。 ・日常生活の身近な話題に関する簡単な話を読み取り、その内容を理解することができる（仕事や職場、子育てや学校、趣味や健康、町内や地域など）。
2級	ろう者と積極的に会話をしようとする態度をもち、社会生活全般を話題に手話で平易な会話ができる程度	2年	・日常生活のなかでの情報や説明などに関する話を読み取り、まとまりのある内容として理解することができる。 ・日常生活の身近な話題に関する話を読み取り、その内容を理解することができる（町内のこと、地域の行事など）。 ・仕事の紹介や説明、遅刻、早退の理由などを読み取り、その内容を理解することができる。
準1級	ろう者と積極的に会話をしようとする態度をもち、社会活動の場面を話題に会話ができ、かつ一部専門的な場面での会話ができる程度	2年半	・興味・関心のある話題に関する話を読み取り、理解することができる（講演、講義など）。 ・日常生活の話題に関する話を読み取り、その内容を理解することができる（学校、近所づき合い、PTA活動、自治会活動、ボランティア活動、サークル活動などの役員会議）。 ・仕事での会議などに関する話を読み取り、その内容を理解することができる。
1級	ろう者と積極的に会話をしようとする態度をもち、あらゆることを話題に、よどみなく会話ができる程度	3年	・幅広い話題に関する話の内容を理解することができる。 ・社会的な話題に関する話の内容を理解することができる。 ・職場において研修講師などの職務内容に関して理解することができる。

手話で表現する力	活用例
・挨拶ができる（おはよう、こんにちは、ありがとうなど）。 ・日常生活のなかで使う数字を表現することができる（番号、生年月日、年齢など）。 ・自己紹介や簡単な会話ができる（自分のこと、家族のこと、仕事のこと、趣味について、好きなこと、嫌いなこと、得意なこと、苦手なことなど）。 ・指文字がある程度できる（名前、地域名など）。 ・わからないということを伝えることができる。	【お知らせなどの会話ができる内容】 ・挨拶、名前の呼び出し、番号での呼び出しなど ・銀行窓口、郵便局窓口、病院窓口、市役所窓口、図書館窓口、スポーツジム窓口など
・時の経過を表す単語が表現できる。 ・全都道府県名を表す単語が表現できる。 ・1日の生活やできごとをゆっくり話すことができる。 ・1週間の生活やできごとをゆっくり話すことができる。 ・1カ月の生活やできごとをゆっくり話すことができる。 ・1年間の行事や思い出や予定などについて、ゆっくり話すことができる。	【できごとなどの会話ができる内容】 ・職場の朝礼、職場での予定報告 ・学校行事のお知らせ ・公民館窓口（部屋予約のみ）、図書館窓口、ニュースなど
・日常生活のなかで興味や関心のあることについて、話すことができる（趣味、スポーツなど）。 ・自分の将来の夢や希望について、話すことができる。 ・職場の同僚と仕事について、簡単な話ができる。 ・住んでいる地域（町）について、話すことができる。 ・自分の気持ちを表現することができる（表情、強弱、速度など）。	【案内など会話ができる内容】 ・会社、銀行、郵便局、病院などの総合的な案内や説明 ・お店やデパートなどでの会話（色やサイズ等）
・日常生活に関する情報や説明など、簡単な話ができる。 ・印象に残ったできごとについて、話すことができる（旅行、思い出など）。 ・日常生活の身近な話題について、話すことができる（町内のこと、地域の行事など）。 ・仕事や職場のことについて、簡単な案内や説明をすることができる。	【仕事（打ち合わせ）などで会話ができる内容】 ・ミーティング ・飲食店にあるメニューの注文、行事などの参加申込み、保育所や小学校などでのできごと、保護者や近所とのつき合いなど
・地域の自治会活動について、話すことができる。 ・学校でのPTA活動について、話すことができる。 ・ボランティア活動について、話すことができる。 ・サークル活動について、話すことができる。 ・調べたことについて、まとまりのある話をすることができる（課題の発表、仕事のプレゼンテーションなど）。	【会議などで会話ができる内容】 ・会社、銀行、郵便局、病院などの会議 ・イベントなどの大会実行委員会 ・保護者会やPTAの会議や集会など
・あらゆる話題について、よどみなく会話をすることができる。 ・時事問題など社会的な話題について、質問したり、自分の考えを述べたりすることができる。	【研修や講習会などのろう講師と社会性の高い会話ができる内容】 ・会社、銀行、郵便局、病院など ・結婚式での司会者など

手話で話そう*!!* － 学びのポイント －

「手話は難しい」…そんなふうに思ってはいませんか？

いいえ、そうではありません。ここで学びのポイントを少しお話します。

■手話表現の基本！

　スムーズな表現の基本は「形」・「位置」・「動き」の3つ。そこに「表情」がかかわることが肝です。表情というと顔だけと思っていませんか？　もちろん、眉など顔のパーツの「表情」は基本です。加えて身体全体の「動き」、それらの「強弱」などなど、実に多くの要素が手話でいう「表情」にあたるのです。

　『飲む』で説明しましょう。飲む動作を普通に繰り返した場合と素早く繰り返した場合。どうでしょう。受け取り方が違いますね。初めはゆっくりと飲む動作を繰り返し、徐々に速くしてみます。またニュアンスが違ってくるでしょう。「表情」の一部です。

■見定めのポイント！

　手話を見定めるポイント。まずは「形」です。飲む場合、「何を」飲むのか、「何で」飲むのか、「どのように」飲むのか、それぞれ表現が違います。そのあたりを見定めましょう。表現をよく見てください。わからなかったら繰り返して見てみましょう。

　次は「表情」。先に述べたように顔だけで表す訳ではありません。顔を含めた全体の動きで、見てわかる表現になります。

　「声」には抑揚がありますね。例えば「行く」。尋ねる言い方、否定的な言い方、肯定的な言い方など、抑揚で使い分けています。それは手話でも同じです。普通に「行く」と伝える表現、「え〜（--;)、行くの?!」という否定的な表現、「行くの？」と尋ねる表現などなど。文字で「行く」を書いても、それ以上の状況は伝わりません。手話は声の抑揚や強弱と同じように、その多様な「表情」で状況や感情などを自然に表し分けているのです。

■ろう者と話をしよう！

　まず、ろう者と話をしてほしいです。「通じないのでは」と不安になるかもしれません。でも「通じなくて当たり前」です。手話は日本語とは違う「言語」なのですから、初めから通じ合うわけがないのです。とにかく話をすることが第一歩。初めは通じなくても、コミュニケーションを重ねるうちに少しずつわかってきます。

　英語を学ぶ場合、一人の学習では限界がありますね。でも、英語の使い手や経験の深い人とコミュニケーションを重ねることで多くを学ぶことができます。手話の場合では、一番の使い手はろう者。ろう者と直接、話をすることで学んでください。通じなくて戸惑うこともあるかもしれません。が、そこで臆せず「何がわからないのか、どこが通じないのか」確認しましょう。頭から「手話は難しい」と思い込まないことです。どうすれば思いを伝えられるのか、身振りなどを含めて工夫をしてみましょう。通じるようになります。

■あなたも手話を広げる仲間に！

　ろう者と向き合いコミュニケーションを取り合うことで、ろう者の「周辺」が見えてきます。文化の違い、背景の違い、歴史など、机上では学べない大切な気づきにつながります。そして、何をすればいいかを考えてください。そうすることで、あなたは本当の意味で手話を広げる仲間の一人となります。手話を広げる活動に、あなたも加わってほしい。私たちろう者はいつもそう願っています。

実技試験

1 「手話の読み取り」試験

1 試験の方法と問題

　5級の手話の読み取り試験は、「基本単語の読み取り」と「短文の読み取り」の2種類があります。

　手話の読み取り試験は、5級に示された基本単語（注1）から出題されています。

　基本単語の手話表現は、全日本ろうあ連盟の出版物に掲載されている手話表現（注2）を使用しています。

　試験の方法は、画面に提示される手話表現を見て、マークシートの正しい番号にマークをします。

注）
1 5級試験の対象となる基本単語は、巻末資料134～141ページに掲載しています。また、5級の基本単語の手話表現については、『手話でステキなコミュニケーション1　三訂 DVDで学ぶ手話の本 全国手話検定試験5級対応』（中央法規出版、2016）付属のDVDに収録しています。
2 全日本ろうあ連盟発行の『わたしたちの手話 学習辞典Ⅰ』を参考にしています。

それでは、付属のDVDまたはWEB動画を見ながら、5級の試験問題に取り組んでみましょう。

解答用紙は巻末資料、解答は17〜20ページです。

WEB動画はこちらから

1 基本単語の読み取り

https://chuohoki.socialcast.jp/contents/801

2 短文の読み取り

https://chuohoki.socialcast.jp/contents/802

3 試験のポイント

5級の「手話の読み取り」試験は、「基本単語」と「短文」です。いずれも5級基本単語の範囲から出題されます。自己紹介に関連した単語が含まれています。単語例として、名前・家族・趣味・誕生日・年齢・仕事・住所などがあります。基本単語を繰り返し見て読み取れるようにしましょう。

手話単語はたくさんあります。似たような手話もたくさんあるので表現に迷うこともあるでしょう。

しかし、手話は「手の形」「手の位置」「手の動き」「表情」で表され、その一つひとつの表現に違いがあります。その違いを見分けるためにも、「手の形」「手の位置」「手の動き」「表情」を確認してください。違いが見えれば何を言っているかの理解につながります。

手話辞典のイラストだけでは、表現の仕方に迷うことがあると思いますが、聞こえない人たちの手話をたくさん見ることでより豊かな理解につながります（18〜20ページ「覚えておこう！」イラスト参照）。

趣味や仕事、スポーツを表す単語には、実際の動きをそのまま表現する写像的な手話があります。身振りなどで表す練習をしてみましょう。また、5級の読み取り試験では、指文字と数字も出題されます。きちんと読み取りができるように根気よく学習しましょう。

「短文の読み取り」の問題10にあるように、喜怒哀楽を表す形容詞などを織り交ぜると、話者の感情や、話の情景が伝わりやすくなり、会話に膨らみができるものです。日常会話ではよく使いますので、感情を表す表現も覚えておきましょう。

4 解答と解説

1 基本単語の読み取り

問題1の正解は**3**「あいさつ」

問題2の正解は**1**「大切」

問題3の正解は**2**「怒る」

問題4の正解は**1**「忙しい」

問題5の正解は**4**「草」

問題6の正解は**1**「方法」

問題7の正解は**3**「使う」

問題8の正解は**2**「魚」

問題9の正解は**3**「72」

問題10の正解は**4**「ヒマワリ」

問題11の正解は**2**「次男」

問題12の正解は**4**「心配する」

問題13の正解は**1**「バス」

問題14の正解は**3**「泣く」

問題15の正解は**3**「上」

問題16の正解は**2**「ミルク」

問題17の正解は**4**「ほとんど」

問題18の正解は**1**「リンゴ」

問題19の正解は**1**「橋」

問題20の正解は**2**「交流」

問題21の正解は**1**「新聞」

問題22の正解は**2**「歌う」

問題23の正解は**4**「うさぎ」

問題24の正解は**1**「大人」

問題25の正解は**3**「相撲」

問題26の正解は**3**「疲れる」

問題27の正解は**4**「庭」

問題28の正解は**2**「補聴器」

問題29の正解は**4**「早い」

問題30の正解は**3**「謝る」

問題7

〈考える〉
頭をかしげ、右手人差指でこめかみをえぐるように回す

〈作る〉
左手拳の親指側を右手拳の小指側で2回たたく

〈行く〉
下に向けた右手人差指を右斜め前へ出しながら指先を斜め前方へ向ける

〈行く〉
甲を前に向けて立てた右手人差指を右斜め前に出す

問題12

〈難しい〉
右手2指で頬をつねるようにひねる

〈大丈夫〉
湾曲させた右手の指先を左胸にあててから右胸にあてる

〈けんか〉
両手拳を左右から2回ぶつけ合わせる

〈けんか〉
斜めに立てた両手人差指を触れ合わせて交互に前後させる

問題16

➡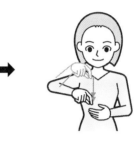

〈紅茶〉
右手人差指の指先で唇を右へ引き、

5指を丸めた左手の上で右手のつまんだ2指を2回下ろす

〈ジュース〉
右手小指で「J」の字形を空書し、指先を口にあてる

〈コーヒー〉
丸めた左手5指の上方で下に向けてつまんだ右手2指を回す

問題21

〈メール〉
右手の指文字「メ」形を前後に
往復させる

〈紙〉
両手人差指で「四角」を描く

〈ポスター〉
立てた両手親指を上下の位置で
ピンを押すように少し前へ出す

全日本ろうあ連盟発行『わたしたちの手話 学習辞典Ⅰ』『新日本語－手話辞典』

2　短文の読み取り

問題1　表現　「私の名前は山本みなとです。」
　　　　正解**3**「山本」

問題2　表現　「私の家族は、祖父と両親と弟と私の5人です。」
　　　　正解**2**「5人」

問題3　表現　「私の家はゴルフ場の前です。」
　　　　正解**1**「ゴルフ場」

問題4　表現　「私は花屋に勤めています。」
　　　　正解**4**「花屋」

問題5　表現　「母は金曜日に料理を習いに行きます。」
　　　　正解**3**「金曜日」

問題6　表現　「父は昭和30年4月20日生まれです。」
　　　　正解**3**「4月20日」

問題7　表現　「祖父はパソコンが得意です。」
　　　　正解**4**「祖父」

問題8　表現　「私は小学校で手話を教えています。」
　　　　正解**3**「小学校」

問題9　表現　「弟は柔道一級です。」
　　　　正解**1**「一級」

問題10　表現「友だちと行った映画はおもしろかったです。」
　　　　正解**1**「おもしろい」

2 「手話での表現(手話によるスピーチ)」試験と「手話での会話(手話による応答)」試験

1 試験の方法と問題

　1分間の「手話での表現」は、受験者のみなさんが普段使用している手話表現で行っていただきます。その後の「手話での会話」は、受験者のみなさんが使用した手話と基本単語の手話で、各級の試験領域レベルの範囲で面接委員が質問をします。

　なお、各級の試験領域レベルについては、6ページ11．受験のめやすは？を参考にしてください。

．．．

1　手話での表現（手話によるスピーチ）

　◉個別面接の方法で行います。

　◉1分間手話でスピーチをします。

　◉第18回試験のテーマは「**自分または、家族の好きなことや嫌いなことを話してください**」です。

．．．

2　手話での会話（手話による応答）

　◉「手話での表現」試験に引き続き、「手話での会話」試験が始まります。

　◉手話での表現（手話によるスピーチ）の内容を参考に、各級の試験領域レベルの範囲で、面接委員の手話での質問に手話で応答をします。

2 試験のポイント

　初めて手話でスピーチするときは、だれでも緊張するものです。

　また、手話でのコミュニケーションでは、アイコンタクトを心がけ、落ち着いて表現しましょう。日頃から、聞こえない人たちとの会話を心がけるようにしましょう。

　スピードはもちろんリズムも大切です。手話単語もしっかり覚えましょう。

　「手の形」「手の位置」「手の動き」にも注意してください。

　最初に、受験番号と名前を手話で表現します。「受験番号は○○、わたしの名前は△△です」というように、数字や指文字、自分の名前がスムーズに表現できるようにしてください。

　「手話での表現」試験は、自己紹介を話題に会話ができるかどうかをみます。テーマに

そった内容をその場で考えて表現しますが、事前にテーマをいくつか想定して準備しておくと安心できるでしょう。

　「手話での会話」試験は、面接委員から質問があります。読み取れないときは「もう一度お願いします」と伝えて再度表現してもらいましょう。わからないときは、確認しながら話をすることが大事です。質問された内容に、「はい」「いいえ」だけではなく、少し説明を加えるとコミュニケーションがより豊かになります。

3 参考解答と講評

　第18回の試験合格者のなかから、評価基準（7ページ参照）のバランスの良かった方の手話表現を、DVD（WEB動画）に収録しています。以下に講評をまとめましたので、2人の表現を参考に、実際の手話表現に活かしましょう。

WEB動画はこちらから

① https://chuohoki.socialcast.jp/contents/803

② https://chuohoki.socialcast.jp/contents/804

▶講評
①Aさん
■手話での表現
　笑顔が印象的です。伝えようとする思いがよく表れていて、わかりやすいスピーチができています。指の代理的表現や空間利用がうまくできていて、見てわかりやすい表現になっています。家族の趣味の紹介も一人ひとり適度な間があり、読み取りやすい表現です。

■手話での会話
　質問に対してうなずきがあることで、理解されていることが確認しやすく、手話での会話を楽しんでいる様子が感じられます。「好きな食べ物は○○」と文章で答えているのも、「青森」のリンゴと説明を加えることで会話の広がりがあり素晴らしいです。口形もあり、誕生日も数字がはっきりしていてわかりやすいです。

「見る」の表現が、お父さんの「野球を見る」とお母さんの「映画を見る」で指の向きが異なっています。会話の流れから理解できますが、上の級をめざすためにも手話単語を確認し正確に覚えることも大切にしてください。

▶**講評**

②Bさん

■手話での表現

話したい内容が整理できていて、わかりやすい間で表せています。単語もはっきり表現できていて、指文字も指の形がはっきりして早すぎず、読み取りやすい表現をされています。自信のない単語では指文字（片づけ）も加えて表現されており、きちんと伝えようとする気持ちがよく表れています。とても良いスピーチです。

■手話での会話

面接委員にきちんと向き合い、一生懸命答えようとする態度は好感がもてます。単語や内容に合った自然な表情ができていますし、答えを考えるときの視線など、見ていても理解しやすいやりとりができています。手話は見ることばです。大切な基本がよくできています。テンポよく質問に答えられていて素晴らしいです。

質問に単語で答えるだけではなく、「○○が好き」や、「得意なのは○○」と文章で答えると会話が広がり、より豊かな手話表現になります。基本単語の手の向き（仕事など）を確認し正確に覚え、上の級をめざしてください。

合格者の声

私が手話を始めたきっかけは、アルバイト先のお客様や実習先の病院の患者さんにろうの方がいて、その方々と筆談ではなく手話で会話がしたいと思ったことです。指文字や挨拶もわからなかったので初めは単語を覚えるのも大変でしたが、地域で開催されていた半年間の手話講座を受講し、実践を交えながら手話を勉強しました。全国手話検定試験の勉強をすることで、今まで知らなかった単語にもたくさん出会うことができ、手話で伝えられることが増えたように感じます。

手話を始めたきっかけは、お母さんが手話奉仕員養成講座に通っていて講座から帰ってくると、いつもいろいろな手話を教えてくれてそれが楽しみでした。お母さんが地域の手話サークルに行きはじめ、私も一緒に通いはじめました。
試験勉強は、手話サークルでろうの方と話をしたり、面接や単語の練習をしたりして教えてもらいました。家では、『これで合格！全国手話検定試験解説集』を使って勉強しました。
読み取り試験は、思っていたよりも簡単でしたが、面接では教えてもらったことを思い出しながらやりました。合格発表の日は、クリスマスだったので、クリスマスプレゼントのようでした。お母さんと一緒に合格できたのと、試験を受けたサークルの人達が全員合格できてよかったです。これからも、手話の勉強をがんばっていきたいです。

実技試験

1 「手話の読み取り」試験

1 試験の方法と問題

4級の手話の読み取り試験は、「基本単語の読み取り」と「短文の読み取り」の2種類があります。

手話の読み取り試験は、5級および4級に示された基本単語 (注3) から出題されています。

基本単語の手話表現は、全日本ろうあ連盟の出版物に掲載されている手話表現 (注4) を使用しています。

試験の方法は、画面に提示される手話表現を見て、マークシートの正しい番号にマークをします。

注)
3 4級試験の対象となる基本単語は、巻末資料141〜148ページに掲載しています。また、4級の基本単語の手話表現については、『手話でステキなコミュニケーション2 三訂 DVDで学ぶ手話の本 全国手話検定試験4級対応』(中央法規出版、2016) 付属のDVDに収録しています。
4 全日本ろうあ連盟発行の『わたしたちの手話 学習辞典Ⅰ』を参考にしています。

2 試験問題にチャレンジ！

　それでは、付属のDVDまたはWEB動画を見ながら、4級の試験問題に取り組んでみましょう。

　解答用紙は巻末資料、解答は27〜30ページです。

WEB動画はこちらから

1　基本単語の読み取り

https://chuohoki.socialcast.jp/contents/805

2　短文の読み取り

https://chuohoki.socialcast.jp/contents/806

3 試験のポイント

　4級の「手話の読み取り」試験は、「基本単語」と「短文」です。4級の基本単語に5級の基本単語を合わせた範囲から出題されます。まずは5級の基本単語の表現をもう一度確認して復習しましょう。

　4級の基本単語は、家族との身近な生活や体験を話題に、1日、1週間の生活やできごと、1年の行事や旅行などのできごと、思い出や予定などを会話をするのに必要な単語がそろっています。家庭、学校、職場など生活のなかで「これはどうやって表現するのかな」と考えながら学習すると、語彙力は飛躍的に増えるでしょう。また時間に関する表現、時の経過を表す表現、都道府県の表現も注意して覚えましょう。

　手話の数が増えるにつれ形や動きが似た単語が出てきますが、間違えたまま覚えている単語があるかもしれません。「手の形」「手の位置」「手の動き」を確認しながら一つひとつ正確に覚えていきましょう。

　試験では、表現は3回繰り返されますので、あわてずに落ち着いてしっかり見てください。

　単語を覚えるときは実際に手を動かし、鏡や映像等で正しく表現できているか確認するのも良いです。読み取るときは「手の形」だけでなく、表情や口形、上半身の動きにも注意しましょう。

4 解答と解説

1 基本単語の読み取り

問題1の正解は**4**「郵便局」

問題2の正解は**3**「トラック」

問題3の正解は**4**「中止」

問題4の正解は**2**「入社」

問題5の正解は**3**「ホタル」

問題6の正解は**1**「レインコート」

問題7の正解は**1**「羊」

問題8の正解は**3**「ちり紙」

問題9の正解は**2**「年内」

問題10の正解は**3**「香川」

問題11の正解は**2**「ひまわり」

問題12の正解は**1**「牛」

問題13の正解は**2**「Tシャツ」

問題14の正解は**4**「風呂」

問題15の正解は**1**「ミシン」

問題16の正解は**4**「沼」

問題17の正解は**4**「靴」

問題18の正解は**3**「トラ」

問題19の正解は**2**「優しい」

問題20の正解は**2**「役所」

問題21の正解は**2**「お好み焼き」

問題22の正解は**1**「ボウリング」

問題23の正解は**1**「食べ放題」

問題24の正解は**2**「一日」

問題25の正解は**4**「手袋」

問題26の正解は**3**「冷蔵庫」

問題27の正解は**4**「捨てる」

問題28の正解は**3**「なぜ」

問題29の正解は**3**「花見」

問題30の正解は**1**「育てる」

覚えておこう！

全体的に正答率の低かった問題を
3問選んでイラストで解説します

問題4

〈入学〉
両手掌を手前に向け、斜めに立
てて並べて置き、

両手人差指で作った「入」形を
前へ出しながら指先を前へ向け
る

〈発表〉
両手5指のつまみを口元から開
きながら左右斜め前へ出す

〈通院〉
左手首を右手の親指と4指の指
先ではさみ、

両手で四角い建物の形を描き、

右手の親指を立て、右斜め前へ
往復する

問題11

〈バラ〉
つまんだ右手指先を上に向けて
左口端につけ、開きながら左へ
回す

〈チューリップ〉
立てた左手を右手で囲むように
前から後ろへ動かす

〈紅葉〉
開いた左手の薬指と人差指の指
先を順に右手2指でつまんで引
く

問題16

〈湖〉

指先を右に向けた左手の内側で
掌を上に向けた右手で円を描く

〈船〉

両手を湾曲させて、小指側と指
先をつけ合わせ、前へ進める

〈海岸〉

立てた右手小指の指先を唇にあ
て、右へ少し動かし、

膨らませて伏せた左手親指側か
ら右手掌をすり上げてすり下ろ
す

全日本ろうあ連盟発行『わたしたちの手話 学習辞典Ⅰ』『新日本語－手話辞典』

2　短文の読み取り

問題1　表現　「息子は夕方6時から8時まで塾に通って、がんばっています。」
　　　　正解**2**「6時から8時」

問題2　表現　「毎週土曜日夫婦でいつも公園をランニングしています。」
　　　　正解**3**「公園」

問題3　表現　「夏休みは福島に行きます。年末は熊本に行きます。」
　　　　正解**3**「年末」

問題4　表現　「両親の結婚50周年に北海道旅行をプレゼントします。」
　　　　正解**4**「結婚50周年」

問題5　表現　「天気は1週間雪が降り続く予定です。」
　　　　正解**2**「1週間」

問題6　表現　「奈良で暮らす父に介護が必要と姉から連絡があり、心配です。」
　　　　正解**2**「奈良」

問題7　表現　「家族で観光しました。思い出は家族で温泉に入ったことです。」
　　　　正解**1**「温泉」

問題8　表現　「七夕まつりで子どもたちは一生懸命考えて将来の夢を書きました。」
　　　　正解**4**「一生懸命」

問題9　表現　「友だちのマンションに行きました。四季の景色がきれいですが、下を見るとドキドキします。」
　　　　正解**4**「ドキドキ」

問題10　表現　「家族みんなでお正月前に台所や床、窓を大掃除しました。床が一番きれいになりました。」
　　　　正解**2**「床」

2 「手話での表現(手話によるスピーチ)」試験と 「手話での会話(手話による応答)」試験

1 試験の方法と問題

　1分間の「手話での表現」は、受験者のみなさんが普段使用している手話表現で行っていただきます。その後の「手話での会話」は、受験者のみなさんが使用した手話と基本単語の手話で、各級の試験領域レベルの範囲で面接委員が質問をします。

　なお、各級の試験領域レベルについては、6ページ11.受験のめやすは？を参考にしてください。

....

1　手話での表現(手話によるスピーチ)

　◉個別面接の方法で行います。

　◉1分間手話でスピーチをします。

　◉第18回試験のテーマは「今年の夏休みは何をしましたか」です。

....

2　手話での会話(手話による応答)

　◉「手話での表現」試験に引き続き、「手話での会話」試験が始まります。

　◉手話での表現(手話によるスピーチ)の内容を参考に、各級の試験領域レベルの範囲で、面接委員の手話での質問に手話で応答をします。

2 試験のポイント

　「手話での表現」および「手話での会話」試験は、手話でどの程度コミュニケーションできるかをみるための試験です。

　試験となると緊張し、普段の力を十分に発揮できないこともあるかもしれません。自分の言いたいことがまとまらなかったり、覚えているはずの手話単語が思い出せなかったり、手が止まってしまうこともあります。でも、そのようなときこそ落ち着くことが大切です。面接委員をしっかり見て、「伝えたい」「わかってもらいたい」という気持ちを大切に、身振りや指文字も活用し、伝えたいことをわかってもらうための工夫をしてみてください。明るく元気な気持ちで臨んでください。短い時間ですので、覚えた手話表現を活用し、がんばって表してみましょう。

　今回(第18回)出題されたテーマは「今年の夏休みは何をしましたか」です。夏休みを振り返って印象的なできごと、伝えたいできごとなどについて、具体的に時間の経過な

どと併せて、工夫しながら表してみましょう。

　4級レベルのめやすは「家族との身近な生活や体験を話題に会話ができる」です。家庭や学校、職場でのことなどで「いつ」「どこで」「だれが」「だれと」「なにを」「どうした」などが表せると、より広がりのある豊かなスピーチにつながります。その場面を、そのときの動きをイメージして具体的な身振りを含めて表現することや、表情なども大切なポイントになります。

　会話では、面接委員の顔を見ながら相手に話しかけるように、質問に対してはうなずくなど、自然な相槌が身体でも表せると、手話での会話をより楽しめると思います。そして、質問がわからないときは、そのことを面接委員に伝え、遠慮せずにもう一度尋ねてみましょう。わからないことは、確認して話を進めることがより良いコミュニケーションには大切です。

3　参考解答と講評

　第18回の試験合格者のなかから、評価基準（7ページ参照）のバランスの良かった方の手話表現を、DVD（WEB動画）に収録しています。以下に講評をまとめましたので、2人の表現を参考に、実際の手話表現に活かしましょう。

WEB動画はこちらから

① https://chuohoki.socialcast.jp/contents/807

② https://chuohoki.socialcast.jp/contents/808

▶講評
①Cさん
■手話での表現

　夏休みにされていたことについて、ハンドボールの練習や試合に参加しがんばっている様子が伝わってくる良いスピーチです。落ち着いて手話表現をされています。しかし、手話の単語数が少ないように思います。何時から始まったのか、練習試合の様子など、具体的なことを入れて話すともっと豊かな内容になります。

　「夏」や「練習」の手話表現ですが、特に「練習」については「必要」という意味にもとれてしまいます。もう一度確認してみましょう。

　お祭りは練習のあとに行かれたのか、ハンドボールの話からお祭りの話に変わったのか、話の流れを順序よく、相手に伝えたいことは何かを整理してみてください。

■手話での会話

面接委員の手話をしっかり見て、読み取りができています。また、ここでも落ち着いて会話ができているのは好感がもてます。その姿勢を大事にしてください。

時間の質問の回答のときは、起きる時間なのか、寝る時間なのか、面接委員には判断がしにくくなります。例えば、「朝」または「午前」、もしくは「夜」または「午後」をつけて表すとよりわかりやすくなります。

┌─ よくばりアドバイス ─────────────

今回のテーマでは、前述の「試験のポイント」と重なりますが、いつ、どこで、だれが、だれと、なにを、どうしたのかを明確に話すと豊かな内容になります。例えば、どんな練習をしたのか、試合に参加してどう思ったのか、などを詳しく話すとおもしろい展開になるでしょう。

話されるときは目が上のほうを見てしまっています。おそらくＣさんの癖だとは思いますが、視線はコミュニケーションには大切なことです。少しずつ直していきましょう。今後も上の級をめざしてがんばってください。

└──────────────────────────────

▶講評

②Ｄさん

■手話での表現

手話をするときの笑顔がとてもステキです。コミュニケーションには表情が大切です。家族と一緒に花火を見に行く様子が伝わってくる良いスピーチです。

4級は、時制についての表現がポイントになりますので、日にちや時間を入れて話されるとさらに良くなります。

自己紹介のところでは「名前」をしっかり表現しましょう。手話の単語をいくつか間違って覚えていらっしゃいます。「春」と「夏」は異なる表現です。もう一度手話表現を確認しましょう。

■手話での会話

会話はきちんと表現できています。朝、起きたのは何時かという質問に「今日のことですか」と確認をとられたこと、わからないときは「もう一度お願いします」とはっきり表現されたことが良かったです。コミュニケーションの基本の1つですので、普段の手話での会話でも今回のようにわからないときは素直に聞いてみてください。

「一番楽しかったことは何ですか」に対して返答に詰まられています。ここでは花火を

見に行ったことをもう一度思い出して、何が楽しかったかについて話せると会話に膨らみが出ます。

☞よくばりアドバイス

　歩いて花火を見に行かれて、娘さんをおんぶしたのはどの時点なのかを明確に話されると良いでしょう。娘さんが疲れたのでおんぶしたのか、最初からおんぶしていたのか、わかりにくい部分がありますので、気をつけて話されることを心がけてください。

　これから上の級をめざされると思います。手話単語をたくさん覚えて会話を広げていってください。

合格者の声

僕は単語を覚えるのがとても苦手です。たくさんの単語を覚えるために、できるだけ毎日動画を見て繰り返し練習していました。覚える方法は、短い時間で毎日練習することでモチベーションが落ちずにできました。県名を覚えるときには、家族にクイズのように問題を出してもらい、手話で答え、楽しみながら学習を進めました。スピーチ(面接)の練習は1週間に1つテーマを決めてしていました。できるだけ声を出さずに手話だけで表すように意識して取り組みました。

私が嫁いだ先の親族にろう者がおり、コミュニケーション手段として手話を学びたいと思ったことが、学習のきっかけでした。日頃から挨拶などの短い会話は親族に教えてもらいながら、4級試験受験のためにテキスト『手話でステキなコミュニケーション DVDで学ぶ手話の本』を活用し、学習を進めていきました。ろうである親族からも、「身につけるためには実践が一番」と教わっていたので、わからない箇所は付属のDVDで繰り返し学習しました。なかなか覚えられない単語は、手話単語の由来・意味をネットで検索し、よりインプットしやすいようにしました。

1人で学習を進めるには限界があります。私は初めて試験を受けたのですが、試験会場にはサークルや団体で試験を受けている方々が多く、やはり学習する仲間を作って互いに実践しながら学びを進めていくのが習得の近道なのかなと感じました。

手話を学び、ろうである親族と手話を介しコミュニケーションがとれることが嬉しく、学んでよかったなと感じています。普段は医療従事者として働いていますが、ろうの方々が医療現場で困ることがないよう、架け橋的な存在になりたいなと思い、今後も継続して学習を進めていきたいと思っております。

実技試験

1 「手話の読み取り」試験

1 試験の方法と問題

3級の手話の読み取り試験は、「基本単語の読み取り」と「短文の読み取り」の2種類があります。

手話の読み取り試験は、5級から3級に示された基本単語（注5）から出題されています。

基本単語の手話表現は、全日本ろうあ連盟の出版物に掲載されている手話表現（注6）を使用しています。

試験の方法は、画面に提示される手話表現を見て、マークシートの正しい番号にマークをします。

注）
5 3級試験の対象となる基本単語は、巻末資料148〜155ページに掲載しています。また、3級の基本単語の手話表現については、『手話でステキなコミュニケーション3 三訂 DVDで学ぶ手話の本 全国手話検定試験3級対応』（中央法規出版、2016）付属のDVDに収録しています。
6 全日本ろうあ連盟発行の『わたしたちの手話 学習辞典Ⅰ』を参考にしています。

2　試験問題にチャレンジ！

　それでは、付属のDVDまたはWEB動画を見ながら、3級の試験問題に取り組んでみましょう。

　解答用紙は巻末資料、解答は39〜42ページです。

WEB動画はこちらから

1　基本単語の読み取り

https://chuohoki.socialcast.jp/contents/809

2　短文の読み取り

https://chuohoki.socialcast.jp/contents/810

3　試験のポイント

　3級の「手話の読み取り」試験は、「基本単語」と「短文」です。3級の基本単語に5級と4級の基本単語を合わせた範囲から出題されます。3級の基本単語には、日常生活の体験や身近な社会生活の体験を話題に会話するために必要な単語があります。基本単語の数が増えますが、まず5級と4級の復習をしてから3級の単語を学習し、使える語彙の数を増やしてください。

　3級では今回（第18回）「基本単語の読み取り」で出題された「クッキー」や「ケチャップ」など、食べ物の手話単語がたくさんあります。また、4級で学んだ都道府県名に加え、3級では「浜松」などの政令指定都市、「東北」や「近畿」などの地域を表す手話もあります。解答だけでなく、選択肢にも目を向け、地名などの手話表現もきちんと覚えておきましょう。

　全体の話の内容をつかんで、場面に合った表現が何であるのか確認しながら選ぶようにしましょう。

　手話の数が増えるにつれ、形や動きが似た単語も出てきますが、間違えたまま覚えている単語もあるかもしれません。「手の形」「手の位置」「手の動き」を確認しながら、一つひとつ正確に覚えていきましょう。試験では、表現が3回繰り返されますので、あわてずに落ち着いてしっかり見てください。

　覚えるときは手を動かし、鏡や映像等で正しく表現できているか確認することも良い方法です。読み取るときは「手の形」だけでなく、表情や口形、上半身の動きにも注意して見ましょう。

4 **解答と解説**

1　基本単語の読み取り

問題1の正解は**2**「クッキー」

問題2の正解は**1**「うるさい」

問題3の正解は**4**「固い」

問題4の正解は**1**「混ぜる」

問題5の正解は**1**「鼻」

問題6の正解は**3**「関東」

問題7の正解は**3**「選手」

問題8の正解は**4**「漫画」

問題9の正解は**3**「グラム」

問題10の正解は**4**「コンビニ」

問題11の正解は**3**「指示する」

問題12の正解は**1**「ケチャップ」

問題13の正解は**3**「客」

問題14の正解は**1**「決める」

問題15の正解は**1**「小豆」

問題16の正解は**4**「首」

問題17の正解は**2**「パトカー」

問題18の正解は**4**「チョウ」

問題19の正解は**3**「人間」

問題20の正解は**2**「すっぱい」

覚えておこう！

（全体的に正答率の低かった問題を
3問選んでイラストで解説します）

問題1

〈チョコレート〉
両手の親指と人差指を向かい合
わせて「四角形」を作り、

両手5指をつまんで「折る」し
ぐさをする

〈まんじゅう〉
両手掌を近づけて向き合わせ、
水平に回し合う

〈プリン〉
指間を広げて丸めた右手5指の
指先を左手掌にのせて揺らす

問題3

〈熱い〉
甲を上、指を下に向けた右手を
素早く上げる

〈痛い〉
5指を折り曲げ、指を上に向け
た右手を震わせる

〈落ちる〉
立てた左手親指の指先を右手掌
でたたき下ろす

問題19

〈人形〉
両手で抱きかかえた人形をあや
すように親指と4指を動かす

〈ロボット〉
曲げた両手2指を上下に向き合
わせ、半回転して位置を入れ替
える

〈盲導犬〉
指を広げた右手2指の指先を閉
じた両目にあてて下げ、

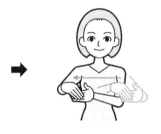

左手の人差指側を右手5指で上
からはさんで右へ引き、

両手親指をこめかみにつけ、伸
ばした4指を折り曲げる

全日本ろうあ連盟発行『わたしたちの手話 学習辞典Ⅰ』『新日本語－手話辞典』

2 短文の読み取り

問題1 表現 「孫の学芸会を見に行きました。子どもたちみんなが、劇や合唱をすべて手話で表現していることに感激しました。」

　　　　正解 (1)**3**「学芸会」、(2)**2**「劇と合唱」

問題2 表現 「今年の夏は電力不足が心配です。汗が少しくらいなら扇風機で構いません。我慢します。」

　　　　正解 (1)**2**「電力不足」、(2)**2**「我慢する」

問題3 表現 「ここの横断歩道で事故が多いです。警察官が一時停止を厳しく取り締まっています。」

　　　　正解 (1)**4**「横断歩道」、(2)**4**「警察官」

問題4 表現 「私は2年前に浜松に引っ越して釣りを始めました。うなぎは釣れますが、たいは釣れません。」

　　　　正解 (1)**2**「浜松」、(2)**4**「たい」

問題5 表現 「私はマジックのボランティアグループに入っています。新年会では参加者が見るなか、成功しました。」

　　　　正解 (1)**4**「マジック」、(2)**1**「成功」

問題6 表現 「母は腎臓の病気で通院しています。塩分を取りすぎないよう注意しています。」

　　　　正解 (1)**4**「腎臓の病気」、(2)**4**「塩分の取りすぎ」

問題7 表現 「妻は毎月1回図書館に行きます。興味のあるパンやお菓子作りの本を借りています。」

　　　　正解 (1)**4**「妻」、(2)**4**「図書館」、(3)**3**「お菓子作り」

2 「手話での表現（手話によるスピーチ）」試験と 「手話での会話（手話による応答）」試験

1 試験の方法と問題

　1分間の「手話での表現」は、受験者のみなさんが普段使用している手話表現で行っていただきます。その後の「手話での会話」は、受験者のみなさんが使用した手話と基本単語の手話で、各級の試験領域レベルの範囲で面接委員が質問をします。

　なお、各級の試験領域レベルについては、6ページ11. 受験のめやすは？を参考にしてください。

....

1　手話での表現（手話によるスピーチ）

　●個別面接の方法で行います。

　●1分間手話でスピーチをします。

　●第18回試験のテーマは「あなたの夢や興味のあることを話してください」です。

....

2　手話での会話（手話による応答）

　●「手話での表現」試験に引き続き、「手話での会話」試験が始まります。

　●手話での表現（手話によるスピーチ）の内容を参考に、各級の試験領域レベルの範囲で面接委員の手話での質問に手話で応答をします。

2 試験のポイント

　3級の試験では、日常の生活体験や身近な社会生活の体験を話題にした会話を評価し、手話でどの程度コミュニケーションがとれるかを確認します。基本単語の数が増えますが、まず5級と4級の復習をしてから3級の単語を学習して、使える語彙の数を増やしてください。

　試験となると緊張し、自分の言いたいことがまとまらなかったり、覚えているはずの手話単語を思い出せなかったり、手が止まってしまうこともあります。そのようなときこそ、あわてず落ち着くことが大切です。面接委員をしっかり見て、何を伝えたいかを整理して、今まで学んだ手話単語や基本文法を活用し、わからないときには身振りや指文字も使って、伝えたいことをわかってもらうための工夫をしてみてください。明るく元気に、「伝えたい」「わかってもらいたい」という気持ちを大切にして臨んでください。短い時間ですので、覚えた手話表現を活用し、がんばって表してみましょう。

43

今回（第18回）出題されたテーマは「あなたの夢や興味のあることを話してください」です。学んだ手話単語を活用し、伝えたいことを落ち着いて話してみましょう。仕事（学習や勉強）、スポーツ、趣味、旅行、地域のお祭り、サークル活動など、話題は何でも構いません。言いたいことを話し、手話でやりとりできることが大切です。スピーチの内容を広げ深めるためにも、そのときの気持ちを思い出し、できるだけ具体的に表現してみましょう。「いつ」「どこで」「だれが」「どうした」「どのような」「なぜ」なども表現できると、より豊かなスピーチにつながります。その場面の、そのときの動きをイメージした具体的な身振り表現、表情なども大切なポイントになります。

　会話では、面接委員の顔を見ながら相手に話しかけるように、質問に対してはうなずくなど、自然な相槌が身体でも表せると、手話での会話をより楽しめると思います。日頃から聞こえない人と手話での会話を楽しんでください。そして、質問がわからないときは、そのことを面接委員に伝え、遠慮せずにもう一度尋ねてみましょう。わからないことは、確認して話を進めることがより良いコミュニケーションには大切です。

3 参考解答と講評

　第18回の試験合格者のなかから、評価基準（7ページ参照）のバランスの良かった方の手話表現を、DVD（WEB動画）に収録しています。以下に講評をまとめましたので、2人の表現を参考に、実際の手話表現に活かしましょう。

WEB動画はこちらから

① https://chuohoki.socialcast.jp/contents/811　② https://chuohoki.socialcast.jp/contents/812

▶講評

①Eさん

■手話での表現

　手話表現がはっきりしています。面接委員の様子を見て自分の手話がきちんと通じているかを確認しながら、表現されているのはとても良いです。時折見せる笑顔が印象的で好感がもてます。

　単語の語彙も3級としては豊富で、指の代理的表現もうまく活用されており、これまで勉強された成果が出ている素晴らしいスピーチです。

■手話での会話

　面接委員の質問を一度で読み取って的確に回答するなど、スムーズな会話ができています。伝わっているか不安なときには繰り返し説明され、一方的ではないコミュニケーションが成立しています。東京での予定を思い浮かべながら話される表情から、とても楽しみにしている様子が伝わってきます。

　🖐よくばりアドバイス

　　とてもうまく表現されています。これからどんどん手話の語彙を増やしていくためにも、多少の間違いを恐れずに聞こえない人と手話で会話していってください。きっとさらに力がつくでしょう。

②Fさん

■手話での表現

　緊張されているのか、初めは硬い表情をされています。しかし、手話の語彙をたくさんもたれているようで、会話が進むうちに慣れてきて伝えたいことの言い方を換え、うまく表現されています。とても心のこもったスピーチになっています。また、面接委員2人を交互に見て話す姿勢にも好感がもてます。

■手話での会話

　手話にメリハリがあります。質問が読み取れないときには聞き返すことができていて、理解できたときは大きくうなずいたりと、面接委員の反応を見ながら話せています。指文字も使い、間違いなく伝えようとされており、Fさんの人柄や丁寧さが伝わります。

　🖐よくばりアドバイス

　　たまに目が泳いでしまうところが残念です。視線も手話の文法の1つなので気をつけましょう。自信のない手話を表現をするときでも最後までわかりやすく表現するよう心がけてください。

合格者の声

 私は、高校2年生です。1年前、手話がテーマのテレビドラマを見て手話に興味をもち学習を始めました。普段は手話奉仕員養成講座や手話サークルで学んでいます。

試験対策には『これで合格！全国手話検定試験解説集』や単語一覧を活用しました。私は初めて全国手話検定試験を受けたので緊張しましたが、面接では趣味や将来の夢について手話で話すことができとても楽しかったです。これからも手話力を高め、たくさんの方と交流できるようになればいいなと思っています。

 私は、祖母が難聴であることや両親が手話を小さい頃から教えてくれていたこともあり、手話が身近なものでした。指文字や簡単な挨拶表現などを交えながら祖母と会話をしていました。また、ろうの友達との出会いや手話サークルに小4から通い始めたことで、さらに手話を学びたいと思いました。

全国手話検定試験に向けては、試験前に必死に手話を学ぶというよりも、サークルや祖母との日常会話や毎年あるろう学校とサークルでの交流会で、より自然に手話で自分を表現できるようにしました。日頃からろうの方と関わることは、手話を磨き上げ表現を増やすのにもとてもいいと思います。また、ろう者はみんなとても明るくて接しやすい優しい方ばかりです。手話サークルなどに参加することは自然に手が動くようになるのでいいと思います。

実技試験

1 「手話の読み取り」試験

1 試験の方法と問題

　2級の手話の読み取り試験は、「基本単語の読み取り」と「ストーリーの読み取り」の2種類があります。

　手話の読み取り試験は、5級から2級に示された基本単語 (注7) から出題されています。

　基本単語の手話表現は、全日本ろうあ連盟の出版物に掲載されている手話表現 (注8) を使用しています。

　試験の方法は、画面に提示される手話表現を見て、マークシートの正しい番号にマークをします。

注)
7 2級試験の対象となる基本単語は、巻末資料155～165ページに掲載しています。また、2級の基本単語の手話表現については、『手話でステキなコミュニケーション4　三訂 DVDで学ぶ手話の本 全国手話検定試験2級対応』(中央法規出版、2016) 付属のDVDに収録しています。
8 全日本ろうあ連盟発行の『わたしたちの手話 学習辞典I』を参考にしています。

2 試験問題にチャレンジ！

それでは、付属のDVDまたはWEB動画を見ながら、2級の試験問題に取り組んでみましょう。

解答用紙は巻末資料、解答は49〜53ページです。

WEB動画はこちらから

1　基本単語の読み取り

https://chuohoki.socialcast.jp/contents/813

2　ストーリーの読み取り

https://chuohoki.socialcast.jp/contents/814

3 試験のポイント

2級の「手話の読み取り」試験は、2級の基本単語に5級から3級までの基本単語を合わせた範囲から出題されます。

「基本単語の読み取り」では、2級の基本単語を中心として、「手の形」「手の位置」「手の動き」が似たようなものを組み合わせて出題される傾向があります。次の解説（49〜51ページ「解答と解説」）を参考にして、それぞれの表現を確認しておきましょう。

「ストーリーの読み取り」では、社会生活全般にわたった内容だけではなく、聴覚障害者自身の体験談、思いなども出題されることがあります。

画面に出てくる手話表現が長くなると、読み取れなくなって難しいと思ってしまいがちですが、映像は3回繰り返されますので、1回目の表現で見落としてしまっても、2回、3回と繰り返し見ることで、話の内容がつかめるようになります。そのためにも、基本単語の表現をしっかりと学習しておきましょう。たとえ1つの単語表現がわからなくなっても、その単語にこだわらず、話の全体を見るようにすると内容がつかみやすくなります。

ちなみに、今回（第18回）の「ストーリーの読み取り」では、以下のような内容で出題されました。参考にしてください。

① 「保育士の仕事」
② 「手話サークルの活動」
③ 「主人との出会い」
④ 「私のG.W.の過ごし方」
⑤ 「体力維持の方法」
⑥ 「現代のリモート授業」
⑦ 「物価高騰による節約努力」

4 解答と解説

1 基本単語の読み取り

問題1　正解は、**2**の「相変わらず」です。

上に向けた両手の親指と4指を両肩から開閉しながら前へ出す表現です。

選択肢の「濡れる」と比較して、手の動きの向きを確認しましょう。また、選択肢の「いよいよ」は手の動きが変わると、選択肢の「対応」に対して切迫感が表現できます。手を動かしてみてこの違いを体感してみましょう。

問題2　正解は、**3**の「カロリー」です。

左手5指で「C」を示し、隣に右手人差指で「ℓ」を書く。記号「Cal」から2文字を取って表現しています。

この問題には頭文字を使っての表現が集まっています。また、選択肢の「エネルギー」のように左肘を曲げて表現する単語も意外と多くあります。類義語もありますので、類似から語彙を増やしていきましょう（50ページ「覚えておこう！」イラスト参照）。

問題3　正解は、**4**の「コウモリ」です。

人差指を曲げ、掌（てのひら）を前に向けた両手を交互に上下させる表現です。足指の鋭いカギ状の爪を表現しています。他の選択肢もそれぞれの生き物の特徴を表現しています。

問題4　正解は、**1**の「デザート」です。

人差指を伸ばし、親指と3指を輪にした右手を左手掌にのせて前へ出す表現です。デザート「dessert」の「d」の指文字を掌にのせて出します。

選択肢の「エリート」「単位」「迷子」も同じく左手掌を使う表現です。併せて見ておきましょう（51ページ「覚えておこう！」イラスト参照）。

問題5　正解は、**3**の「寝不足」です。

右目に向けて広げた右手2指をつけ合わせ、左手掌に右手人差指の指先をつけ、後へ2回はね上げる表現です。

選択肢にある「科」は共通です。選択肢以外の受診科も覚えておくことによって、日常生活による病院や通院の会話もできるようになるでしょう。

問題6　正解は、**4**の「会長」です。

両手の指先を斜めにつけ合わせ、同時に斜め下へ引き、右手の親指を立て、上へ上げる表現です。会長が女性の場合は親指の代わりに小指を立てることもあります。手話単語の親指を立てると「男」の手話になりますが、この親指をゆっくり曲げ

ると「老いる」という意味が加わります。また、「男」の手話を上に上げると「○長」に意味が変化します。手話単語は手の形、手の動き、手の位置、掌の向きの4つが基本的な構成要素とされ、さまざまな組み合わせで意味が広がります。

右手の親指を立て、上へ上げる表現は、共通して他にもあります。選択肢の「主任」「係長」「議長」を始め、他の単語もチェックしておくといいでしょう。

問題7　正解は、**2**の「個性」です。

両手人差指の指先を顔に向け「▽」の形に動かし、左手甲に右手人差指をつけ、半回転させてはね上げる表現です。

「基本単語の読み取り」のなかで最も正答率が低い問題でした。選択肢**3**「私用」と混同されている方が多いようです（51ページ「覚えておこう！」イラスト参照）。選択肢以外にも「▽」を使う単語があります。「自己紹介」や「私鉄」なども忘れていないか確認し、「新しい手話の動画サイト」（手話言語研究所ホームページ（https://www.newsigns.jp/alph））から「マイナンバー」なども確認しておくといいでしょう。

問題8　正解は、**1**の「勇気」です。

右手人差指で腹を指差し、甲を上にして平行に置いた両手拳を同時に前へ出す表現です。

選択肢のいずれも「心」から派生している表現です。『わたしたちの手話　学習辞典Ⅰ』などから他の単語も調べてみるといいでしょう。

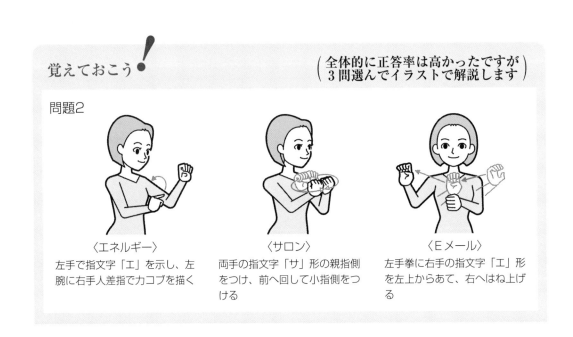

覚えておこう！

（全体的に正答率は高かったですが
3問選んでイラストで解説します）

問題2

〈エネルギー〉
左手で指文字「エ」を示し、左腕に右手人差指でカコブを描く

〈サロン〉
両手の指文字「サ」形の親指側をつけ、前へ回して小指側をつける

〈Eメール〉
左手拳に右手の指文字「エ」形を左上からあて、右へはね上げる

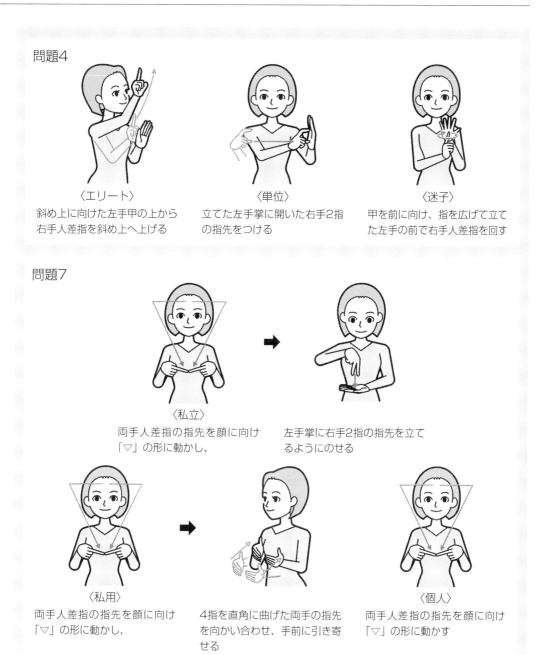

問題4

〈エリート〉
斜め上に向けた左手甲の上から
右手人差指を斜め上へ上げる

〈単位〉
立てた左手掌に開いた右手2指
の指先をつける

〈迷子〉
甲を前に向け、指を広げて立て
た左手の前で右手人差指を回す

問題7

〈私立〉
両手人差指の指先を顔に向け
「▽」の形に動かし、

左手掌に右手2指の指先を立て
るようにのせる

〈私用〉
両手人差指の指先を顔に向け
「▽」の形に動かし、

4指を直角に曲げた両手の指先
を向かい合わせ、手前に引き寄
せる

〈個人〉
両手人差指の指先を顔に向け
「▽」の形に動かす

全日本ろうあ連盟発行『わたしたちの手話 学習辞典Ⅰ』『新日本語－手話辞典』

2 ストーリーの読み取り

ストーリー1

> 私は保育士の仕事をして2年目になります。ベテランの主任保育士と一緒に3歳児を担当しています。園児が泣き止まずお手上げのとき、彼女に助けてもらうこともあります。仕事でストレスがたまることもありますが、園児が想像力豊かな子に成長してほしいと願っています。

以上により、問題1の正解は**1**の「保育士」、問題2の正解は**2**の「3歳児」、問題3の正解は**1**の「想像力豊かな子」となります。

ストーリー2

> 私が通う手話サークルは、会員31人です。会員の年齢層は18歳から82歳と幅広く、毎週火曜日に公民館で活動しています。今年は思い切って、役員を希望して会計を担当しています。会長を支え、組織を強くするために規約の見直しなどに努力したい。

以上により、問題1の正解は**2**の「18歳から82歳」、問題2の正解は**1**の「公民館」、問題3の正解は**2**の「規約」となります。

ストーリー3

> 私は総務課で働いていて、そこに片思いしている人がいました。彼に見られたくて、思いきってダイエットを始めました。でも短期間のダイエットで下痢を繰り返してげっそりし、目まいで仕事中に倒れてしまいました。そのときすぐに病院に連れていってくれたのがその彼、今の主人です。

以上により、問題1の正解は**3**の「総務課」、問題2の正解は**1**の「片思いの彼に好かれたいから」、問題3の正解は**2**の「目まい」となります。

ストーリー4

> 5月の連休はどこかへ旅行に行きましたか。実家で楽しく過ごした人もいると思います。でも、故郷へ帰る途中、高速道路などで交通事故によって大切な家族を亡くすというニュースを見ると悲しいです。私は渋滞が嫌いなので、家で庭の草をとったり、読書をしてのんびり過ごしました。

以上により、問題1の正解は**1**の「交通事故で大切な家族を亡くす」、問題2の正解は**3**

の「車の渋滞が嫌い」、問題3の正解は**2**の「のんびり過ごした」となります。

ストーリー5

40歳まで卓球、バレーボールなどのスポーツを趣味で楽しんでいました。でも、仕事や聴覚障害者協会の活動で忙しくなり、スポーツをやめていました。60歳を超えた今、体力が弱り、今後が不安です。そこで地域の高齢者対象のヨガ教室に申し込みました。手話ができる友人と一緒に楽しみにしています。

以上により、問題1の正解は**2**の「バレーボール」、問題2の正解は**4**の「仕事や聴覚障害者協会の活動で忙しくなったから」、問題3の正解は**4**の「手話ができる友人と一緒だから」となります。

ストーリー6

小学校1年生の孫の学級がインフルエンザ流行のためお休みとなりました。孫の様子を見るよう頼まれて家に行って驚きました。孫は学校のパソコンを使って、インターネットで担任の先生やクラスの友達の顔を見ながら、勉強を始めていたのです。

以上により、問題1の正解は**1**の「1年生」、問題2の正解は**4**の「学級が休みになったから」、問題3の正解は**3**の「インターネットで勉強をしていた」となります。

ストーリー7

いろいろなものが値上がりしています。とくに電気代が値上がりして困ります。エアコンが古くなったので、電気を節約できるよう新しく買い換えました。暑い日が続きますが、窓を開けて自然の風を入れるなど工夫し、冷房を使う時間を短くするように努力しています。

以上により、問題1の正解は**4**の「電気代」、問題2の正解は**2**の「電気を節約できる」、問題3の正解は**1**の「使う時間を短くする」となります。

2 「手話での表現(手話によるスピーチ)」試験と 「手話での会話(手話による応答)」試験

1 試験の方法と問題

　2分間の「手話での表現」は、受験者のみなさんが普段使用している手話表現で行っていただきます。その後の「手話での会話」は、受験者のみなさんが使用した手話と基本単語の手話で、各級の試験領域レベルの範囲で面接委員が質問をします。

　なお、各級の試験領域レベルについては、6ページ11．受験のめやすは？を参考にしてください。

1　手話での表現（手話によるスピーチ）

　◉個別面接の方法で行います。

　◉2分間手話でスピーチをします。

　◉第18回試験のテーマは「**手話に関わって思ったこと、考えていることについて話してください**」です。

2　手話での会話（手話による応答）

　◉「手話での表現」試験に引き続き、「手話での会話」試験が始まります。

　◉手話での表現（手話によるスピーチ）の内容を参考に、各級の試験領域レベルの範囲で、面接委員の手話での質問に手話で応答をします。

2 試験のポイント

　2級の試験では、社会生活全般をテーマにして、手話でわかりやすく会話ができるかどうかを評価します。手話学習歴2年程度の人が対象になります。

　今まで習ってきた手話単語や基本文法を正確に豊かに表現できるように学習することはもちろん、日頃から聞こえない人と手話で会話することも大切なことです。面接委員とは、手話での会話を楽しむという気持ちをもって、コミュニケーションをとってみてください。

　今回（第18回）の「手話での表現」試験で提示されたテーマは「手話に関わって思ったこと、考えていることについて話してください」です。普段心がけていることや、これからやってみたいこと、ご家族や身近な人がしていること、学習会や手話サークルに参加して感じたこと、手話の学習を通じて気づいたことなどを話すと良いでしょう。2分間の

スピーチなので、話の内容を幅広く深みのあるものにしていくことが求められます。面接委員の表情を見ながら、話しかけるように表現すると良いでしょう。

　「手話での会話」試験では、面接委員から質問されたことに対して「はい」「いいえ」だけで答えず、できるだけ話の内容を具体的に膨らませて応答するように心がけましょう。

　面接委員と手話で会話を楽しむという気持ちで臨(のぞ)むことで、表情が自然と豊かになり、リラックスして話すことができるでしょう。

3 参考解答と講評

　第18回の試験合格者のなかから、評価基準（7ページ参照）のバランスの良かった方の手話表現を、DVD（WEB動画）に収録しています。以下に講評をまとめましたので、表現を参考にして実際の手話表現に活かしましょう。

WEB動画はこちらから

① https://chuohoki.socialcast.jp/contents/815

▶講評

①Gさん

■手話での表現

　手話を一つひとつ明確に表現されていて、自分の考えを面接委員に伝えようとする意志が感じられます。全体としてまとまりのあるスピーチになっています。

　「手話/ろう者/だけ/ない」のところで、「〜ではない」と伝えたかったと思いますが、表現されている手話の「ない」は、「いない」という意味に近くなります。「違う」で表現したほうが確実に相手に伝わるでしょう。

　施設にいるろう者の方向（場所）を決めて表現されており、手話文法の位置の活用がうまくできています。

■手話での会話

　面接委員に対して気負うことなく、自然にコミュニケーションを楽しもうという雰囲気があふれています。面接委員の質問がわからないときはもう一度尋ねて、とても良い会話となっています。

　いろいろな場面での変わりゆく感情をうまく顔で表現されており、手話の使用禁止につ

いて、上から下へ"ダメ"と表現することで、上下関係がはっきりしてわかりやすくなっています。

　ただし、「他」や「最近」の表現が異なっていますので、もう一度確認しましょう。

👆 **よくばりアドバイス**

　「子どものときから」の「から」は、子どもの身長が伸びるように斜め上へ動くように表すと、成長とともに学ぶということがイメージしやすくなります。

　音声言語に合わせて話されているため、手話表現を繰り返しているところがあります。手話言語で伝えることを意識すると、さらに見やすく、わかりやすい会話になるでしょう。がんばってください。

合格者の声

😃 手話学習を始めて3年と少し経ちました。一昨年全国手話検定試験4級と3級を受験し、今年は2級と準1級に挑戦しました。1年以上間が空いていたため、とても緊張しました。私は『手話奉仕員養成テキスト 手話を学ぼう 手話で話そう』と『これで合格！全国手話検定試験解説集』の本で勉強しました。本には筆記試験や手話の読み取り、実技試験の解説がついているので間違いやすいところや押さえておきたいポイントをインプットすることができました。
面接練習では過去のテーマを基に繰り返し自己練習をしました。また、DVDを見返し先輩方の表現の工夫を参考にさせていただきました。語彙の豊富さ、表現と表現の間、何より相手に伝えようとする姿勢がとても大事だと改めて感じました。まだまだ未熟ですが、この経験を励みに手話学習に取り組んでまいります。
そして、「手話＝耳が聞こえない」という固定観念をなくし、より多くの人々の日常が豊か、かつ穏やかであることを願っています。

筆記試験

1 試験の方法と問題

筆記試験の出題分野となる試験科目は2級、準1級、1級は共通です。

①試験科目

- ・聴覚障害者のコミュニケーション手段とその特徴
- ・耳の仕組み、障害と社会環境
- ・聴覚障害者の暮らし
- ・ろうあ者の歴史
- ・聴覚障害者関連福祉制度
- ・手話の基礎知識

②解答方法

- ・2級の筆記試験は、四肢択一方式です。

2 試験問題にチャレンジ！

それでは、巻末資料の2級の筆記試験問題に取り組んでみましょう。

解答は、57～76ページです。

3 解答と解説

問1

手話は聴覚障害者にとって重要な言語でありコミュニケーション手段ですが、手話のわからない難聴者にとって効果的な情報提供の手段はどれですか。

| 1. 触手話 | 2. 要約筆記 | 3. 点字通訳 | 4. 指文字 |

▶問1の正解は **2**

▶解説

要約筆記とは、聴覚障害者（耳が聞こえない、聞こえにくい人）のなかでも主に、中途失聴者、難聴者に対する支援方法です。要約筆記の種類は手書きとパソコン入力による方

法があります。音声情報を日本語の文字で表し、聞こえない、聞こえにくい聴覚障害者が
その場に参加できるように支援することが、要約筆記の目的といえます。

　触手話は盲ろう者（視覚障害を併せもつろう者）のコミュニケーション手段で、盲ろ
う者が手話を話す人の手に触って、話の内容を読み取る方法です。また、相手が盲ろう者
の手を取って手の形を作って伝える方法もあります。

　目で読むための文字表記を「墨字」といい、視覚障害者が指で触って読む文字を「点
字」といいます。点字はタテ3点、ヨコ2点の6点の「突起」を一定の法則で並べ、一つ
ひとつの文字を表す表音文字で、それを視覚障害者が指で触って読んでいくものです。墨
字を点字に変換して本などにする人が点字通訳者です。

　現在、日本で一般的に使用されている指文字は、大阪市立聾唖学校（現・大阪府立中央
聴覚支援学校）の大曾根源助氏が1931（昭和6）年、アメリカの指文字にヒントを得て
考案したものです。

問2

聴覚障害者とのコミュニケーションについての記述で適切なものはどれですか。

1. 話し手の表情や口元が見える位置や顔の向きを考えて話すのが良い
2. 筆談は簡単な文章が良いので、漢字は使わずひらがなで書くのが良い
3. 空書は分かりやすいので、多用するほうが良い
4. 手話を使うときは、口形は全くつけないほうが良い

▶問2の正解は1

▶解説

　手話は見ることばです。お互いがコミュニケーションを取りやすいように、口元も含め
て顔の表情が見やすいように工夫することが大切です。

　筆談は「できるだけ簡単な短文で」「簡潔に」「具体的に」が求められます。ひらがなばか
りの文章は読みづらいものです。理解力を確かめながら、適度に漢字を使うと意味が通じ
やすくなります。

　「空書」とは、実際に筆や紙を使わず、自分の人差し指で空中に字を書くことですが、
長い文章などを空書することは、見る側も大変であるため、多用は避けたほうが良いでしょ
う。

　聴覚障害者同士の会話でも、口形をつけて会話している場面を見たことがあると思いま
す。手話でのコミュニケーションは、手指の動きだけでなく、表情や口形も大切な要素と
なります。

問3

日本語の五十音に合わせた指文字のうち、アメリカの指文字を参考に作られたものはどれですか。

1.「こ」   2.「く」   3.「せ」   4.「ら」

▶問3の正解は4
▶解説

〈こ〉	〈く〉	〈せ〉	〈ら〉
カタカナ（コ）の一部	手話の数詞の（九）	「兄（せ）」の敬称「背の君」	アルファベットの（r）

全日本ろうあ連盟発行『わたしたちの手話 学習辞典Ⅰ』『新日本語−手話辞典』

問4

手話に関する記述について、正しくないものはどれですか。

1. 手話には文法がある
2. 手話はどの国も同じである
3. 手話は伝承することができる
4. 手話には方言がある

▶問4の正解は2
▶解説

　日本語、韓国語、中国語とそれぞれ言語が違うように、手話も各国で違います。ろう者が国際交流を行う際に、公式に用いるために作られた国際手話もあります。

　文法とは、ことばの組み立て方のルールや決まりのことです。手話は言語ですので、他の音声言語と同じように文法があります。

　ろう学校（現・聴覚特別支援学校等の名称）では長い間手話は禁止されていました。しかし、そんな時代においても聞こえない、聞こえにくい聴覚障害者の間で連綿と手話は伝承されて、今日に至っています。

　手話はろう者の生活のなかから生まれたことばですので、音声言語と同じように地域性

（方言）があります。

問5

聴覚障害者に多い感音性難聴の特徴として正しくないものはどれですか。

1. 補聴器を使用すると音の聞き分けが良くなる
2. 大きい音がうるさく聞こえる
3. 小さい音が聞こえない
4. 話し言葉の弁別がしにくい

▶問5の正解は1

▶解説

　聞こえの仕組みや聴力検査、聞こえの実態を通して、感音性難聴（かんおんせいなんちょう）の特徴を理解しましょう。

　選択肢2の「大きい音がうるさく聞こえる」は、感音性難聴の特徴の1つで、補聴器（ほちょうき）で音を大きくすると、うるさく聞こえてしまうため、音量を上げられない場合があります。これを補充（ほじゅう）現象といいます。

　選択肢3の「小さい音が聞こえない」は、伝音性難聴（でんおんせいなんちょう）にも感音性難聴にも当てはまります。

　選択肢4の「話し言葉の弁別（べんべつ）がしにくい」は、感音性難聴の特徴です。蝸牛（かぎゅう）という器官のリンパ液で満たされた中に有毛細胞があり、振動として伝わってきた音に反応して神経を伝わる電気信号に変換します。これが脳に伝わって音を感じることから「感音系」と呼ばれます。蝸牛の入り口は高い音に反応し、低い音は奥のほうで反応します。一般的には高い音から聞こえにくくなる傾向にあるので、低い周波数（しゅうはすう）で強いパワーをもつ母音は比較的よく聞き取れます。しかし、聞き取れる周波数帯が限られてくるため、話し言葉の聞き取りができにくくなってしまいます。補聴器で増幅（ぞうふく）しても、すべての周波数の音が聞こえる範囲に入ることは難しく、補聴器の効果は限定されます。

　したがって、選択肢1の「補聴器を使用すると音の聞き分けが良くなる」は、感音系に障害のない伝音性難聴の特徴といえます。

問6

　全日本ろうあ連盟は、日本障害フォーラム（JDF）という団体とともに、ある条約の批准に取り組みました。その条約とは何ですか。

　　1．障害者差別撤廃条約　　　2．こどもの権利条約

　　3．障害者権利条約　　　　　4．女性差別撤廃条約

▶問6の正解は**3**

▶解説

　日本障害フォーラム（JDF）は、全日本ろうあ連盟や全日本難聴者・中途失聴者団体連合会、全国盲ろう者協会など、現在全13団体で構成されています。障害者権利条約の国内履行の推進のほか、障害者施策の推進、またイエローリボン運動などの啓発活動にも取り組んでいます。

問7

　ピア・カウンセリングとは何ですか。

　　1．いつも同じ人が継続的なミーティングの中で、語り合いをするカウンセリング
　　2．夫婦の間の問題解決のために二人で受けるカウンセリング
　　3．同じ立場や障害を持っている人同士で行うカウンセリング
　　4．日ごろ悩んでいる、家庭のこと・仕事のこと・病気のことなどについてメールで受けるカウンセリング

▶問7の正解は**3**

▶解説

　ピア・カウンセリングは、人生や生活のさまざまな場面で、自分自身で選択し、決定する、いわゆる自立生活を目指す仲間（ピア）をお互いに平等な立場で話を聞き合い、場合によってはきめ細かくサポートすることによって、地域での自立生活を実現する手助けをすることです。

　1960年代に始まった自立生活運動は、それまでの日常生活動作ができることが自立とされてきた障害者支援の考え方とは違い、障害者が自分の人生や生活の場面で、自分で選択していれば、介助者に介助されていても自立しているという考え方に基づいています。自立生活とは、自分の人生の管理であって、責任はもちろん本人が負うことになります。

ピア・カウンセリングはその理念に沿い、支援をするということです。

問8

　手話協力員は、聴覚障害者の雇用を促進するために公共職業安定所（ハローワーク）に配置されていますが、管轄する省庁はどこですか。

　　1. 総務省　　2. 文部科学省　　3. 厚生労働省　　4. 国土交通省

▶**問8の正解は3**

▶**解説**

　1973（昭和48）年に労働省（現・厚生労働省）が、聴覚障害者の求職相談や職場定着指導などのコミュニケーション支援のために、「手話協力員」を公共職業安定所（現・ハローワーク）に設置する制度です。

　しかし、設置数の少なさ（300か所程度／544か所）や稼働時間の短かさ（7時間／月）が大きな課題となっています。併せて、個々のニーズに応じた支援・救済体制の整備や手話で対応できるジョブコーチの配置が強く求められています。

問9

　障害者福祉の動向を見ると、国際的にも国内においても1981（昭和56）年の国際障害者年が大きなきっかけとなって進展していきます。この国際障害者年のテーマは何ですか。

　　1. 出会い、ふれあい、心の輪
　　2. 壁を取り払い、扉を開こう：すべての人々が参加できる社会のために
　　3. わたしたち抜きで私たちのことを決めるな
　　4. 完全参加と平等

▶**問9の正解は4**

▶**解説**

　国際障害者年（IYDP）のテーマは「完全参加と平等」で、障害者が社会生活および社会の発展へ完全に参加できること、他の人々との平等な生活が営めること、経済的および社会的発展によって改善される生活状況を平等に享受できることを目的として、わが国をはじめ世界各国で、国内行動計画の策定、記念事業の実施、調査研究事業、セミナー・会議等の開催などの取り組みが行われました。

　例えば、「身体的障害」「精神的障害」「ハンディキャップ」の三者の区別に対する認識を促すなど、当時の日本においてはかなり先進的な内容でした。マスコミ等でも障害者についてのさまざまな話題が取り上げられ、手話に関心を持つ方が急激に増加しました。

問10

　手話通訳者の専門性が十分に理解されないために労働条件が整わず、過度の労働等で通訳者の健康問題もおきています。この手話通訳者の代表的な健康障害は何ですか。

　　1．高次脳機能障害　　2．頸肩腕障害　　3．言語障害　　4．肝機能障害

▶問10の正解は2

▶解説

　頸（首）、肩、腕の緊張や上腕から前腕にかけての疲労感や脱力感、痛み、手指のしびれ、冷や汗などの症状が起き、さらに疲労が重なることで慢性的なだるさ、不眠、食欲低下などの自律神経症状やうつ症状などが現れる状態を「頸肩腕症候群（頸肩腕障害）」といいます。

　さまざまな原因がありますが、同じ姿勢で作業を継続すること、眼精疲労、運動不足、ストレスが重なることで起こることが多いとされています。「注意集中・正確さ・スピード・反復性・長時間過度」の5つの要素があれば、誰もがなりうるといわれています。「自分のペースでできない仕事」がキーワードといえる職業病で、電話交換手、保育士、介護士、レジ業務などの業種に多く見られます。

　手話通訳は、「読み取り」と「聞き取り」という異なる性格の通訳を同時に、しかも話者のペースに合わせて行う仕事です。さらに、通訳者の人数不足、その専門性への理解不足などが労働環境の不備につながり、その状態が続くことで健康障害としての頸肩腕症候群（頸肩腕障害）を引き起こしています。先の5要素やキーワードに当てはまる職業病といえるでしょう。

問11

　4年に1度、夏季大会と冬季大会がそれぞれ開催される聴覚障害者のための国際総合競技大会とは何ですか。

　　1．デフリンピック　　2．パラリンピック
　　3．オリンピック　　　4．アビリンピック

▶問11の正解は1

▶解説

　聞こえないことを英語で「Deaf」といいます。デフリンピック（Deaflympics）は、ろう者のオリンピックとして、夏季大会は1924（大正13）年にフランスで、冬季大会は1949（昭和24）年にオーストリアで初めて開催されています。障害当事者である、ろう者自身が運営する、ろう者のための国際的なスポーツ大会であり、また、参加者が国際手話によるコミュニケーションで友好を深められるところに大きな特徴があります。デフリンピックの認知度は約16％であり、パラリンピックの約98％に比べてとても低いですが（2021年日本財団調べ）、2025（令和7）年には東京で開催されるため、その認知度アップが期待されます。

　パラリンピックの「パラ」の意味は、当初は下半身麻痺を表す「パラプレジア（Paraplegia）」にちなんでいましたが、1985（昭和60）年に「もう一つの」という意味で「パラレル（Parallel）」に意味づけされました。つまり、パラリンピックとは、「もう一つのオリンピック」という意味であり、1988（昭和63）年のソウル大会からは、これが正式名称になっています。オリンピック開催国で、オリンピック終了後に開催されます。

　アビリンピックは、障害者技能競技大会の愛称（アビリティ（能力）とオリンピックを合わせた造語）です。障害のある方々が日頃職場などで培った技能を競う大会です。障害のある方々の職業能力の向上を図るとともに、企業や社会一般の人々に障害のある方々に対する理解と認識を深めてもらい、その雇用の促進を図ることを目的として開催されています。

問12

　2013（平成25）年に、日本初の手話言語条例を制定し、毎年「全国高校生手話パフォーマンス甲子園」を開催している都道府県はどこですか。

　1. 北海道　　2. 神奈川県　　3. 鳥取県　　4. 福岡県

▶問12の正解は3

▶解説

　2013（平成25）年10月8日に全国初となる「手話言語条例」を制定した都道府県は、鳥取県です。条例は、前文、第1章 総則、第2章 手話の普及、第3章 鳥取県手話施策推進協議会、附則で構成されています。ろう者とろう者以外の者とが意思疎通を活発にすることがその出発点であり、手話がろう者とろう者以外の者とのかけ橋となり、ろう者の人権が尊重され、ろう者とろう者以外の者が互いを理解し共生する社会を築くために条例が

制定されました。

　この制定は全国の自治体へと波及し、2024（令和6）年4月16日現在、38都道府県21区357市110町6村、計532自治体で手話言語条例が制定され、手話言語の理解と普及の広がりを見せています。

　「全国高校生手話パフォーマンス甲子園」は、「鳥取県手話言語条例」の理念の実現に向けた施策の1つです。全国の高校生が手話言語を使ったさまざまなパフォーマンスを繰り広げる場をつくり発信することによって、多くの人に手話言語の魅力や手話言語が優れた意思および情報伝達手段であることを実感してもらい、手話言語とパフォーマンスを通じた交流の推進および地域の活性化に寄与することを目的としています。

　2023（令和5）年は、鳥取県手話言語条例制定10周年を迎え、手話パフォーマンス甲子園も節目となる第10回大会となることから、それらを記念し、「鳥取県手話言語条例制定10周年記念　第10回全国高校生手話パフォーマンス甲子園」として開催されました。

問13

　字幕付き映像ライブラリー制作・貸し出し等の情報提供サービスや、手話通訳派遣等のコミュニケーション支援機能を持たせた、身体障害者福祉法に定められた施設の名称は何ですか。

1. 聴覚言語障害センター	2. 聴覚障害者情報センター
3. 聴覚障害者情報提供施設	4. 聴覚障害者手話通訳派遣センター

▶問13の正解は3

▶解説

　1990（平成2）年に身体障害者福祉法が改正され、聴覚障害者情報提供施設を設置することができると定められました。障害保健福祉関係全国主管課長会議等で周知されて、各都道府県・政令指定都市で設置が進み、2023（令和5）年4月1日現在54施設あります。施設では、生活や職場の困りごとや制度などの相談対応、聴覚障害者の社会参加を促進する電話リレーサービスなどを含めた情報・コミュニケーション支援を担う手話通訳者の養成や、聴覚障害者への情報発信のための字幕付き映像の制作などを行っています。

　障害者基本法に基づき、国民に障害者の福祉についての関心と理解を深めることを目的として、毎年12月3日から9日まで実施されているのは何ですか。

　　1.　人権週間　　　2.　教育週間　　　3.　福祉週間　　　4.　障害者週間

▶問14の正解は4

▶解説

　2004（平成16）年6月に障害者基本法が改正され、それまで12月9日を「障害者の日」と定めていた規定から、12月3日から9日までを「障害者週間」と定める規定へと改められました。障害者基本法に基づき、国民に障害者の福祉についての関心と理解を深めるとともに、障害者が社会、経済、文化その他のあらゆる分野の活動に積極的に参加することなどを促進するために、国および地方公共団体が民間団体等と連携して、「障害者週間」の期間を中心に、障害者の自立および社会参加の支援のためにさまざまな取組み、イベントを実施しています。

　国際連合総会が世界人権宣言の採択を記念して、採択日である12月10日を「人権デー」と定めたことを受けて、12月4日から10日までの1週間を「人権週間」としています。人権尊重思想の普及・高揚を図るため、全国各地でさまざまなキャンペーンが行われます。

　「教育週間」は定められていませんが、教育・文化に関する行事を全国的に実施し、日本の教育・文化に関する国民の関心と理解を深め、その充実・振興を図ることを目的として、1月1日から7日までを「教育・文化週間」としています。

　「福祉週間」は定められていませんが、こどもや家庭、こどもたちの健やかな成長について国民全体で考えることを目的に、5月5日の「こどもの日」から1週間を「児童福祉週間」と定めています。

問15

障害者の雇用の促進等に関する法律において、一定の従業員数がいる事業所は法律で決められた割合以上の障害者を雇用する必要があります。その割合を何と言いますか。

1. 義務雇用率　　2. 法定雇用率　　3. 目標雇用率　　4. 最低雇用率

▶問15の正解は2

▶解説

障害者雇用促進法は、障害者の職業の安定を図ることを目的とする法律で、職業リハビリテーションの推進、障害者に対する差別の禁止等、対象障害者の雇用義務等に基づく雇用の促進等、紛争の解決等が規定されています。

対象障害者の雇用義務等に基づく雇用の促進等では、対象障害者の雇用義務等、障害者雇用調整金の支給、障害者雇用納付金の徴収、助成金の支給などが定められています。すべての事業主には、法定雇用率以上の割合で障害者を雇用する義務があり、法定雇用率は事業主区分に応じて定められています。2024（令和6）年3月31日までは、民間企業における障害者の法定雇用率は2.3%でしたが、2024（令和6）年度以降は段階的に引き上げられます。法定雇用率の数字も意識しておきましょう。

事業主区分	法定雇用率		
	2024（令和6）年 3月31日まで	2024（令和6）年 4月1日以降	2026（令和8）年 7月1日以降
民間企業	2.3%	2.5%	2.7%
国、地方公共団体等	2.6%	2.8%	3.0%
都道府県等の教育委員会	2.5%	2.7%	2.9%

注：2024（令和6）年3月31日までは、障害者を雇用しなければならない民間企業の事業主の範囲が従業員43.5人以上であったのが、同年4月1日以降、対象となる事業主の範囲は、従業員40人以上、2026（令和8）年7月1日以降は従業員37.5人以上とさらに広がることとなる。

問16

指文字についての記述のうち、正しいものはどれですか。

1. 手話の語彙の一部になることがある
2. おもにカタカナで書かれることばを表現するためのものである
3. 指文字は年々改良されている
4. 五十音に対応しているが、「が」などの濁音は表現できない

▶問16の正解は1

▶解説

指文字は、日本語の五十音を片手で表現するものです。五十音の他、「が」などの濁音、「ぱ」のような半濁音、「そっくり」などにみられる「っ」のような促音、「コーヒー」の「ー」の長音など、すべての音を表すことができます。

固有名詞やカタカナで表現される外来語のなかには、手話で表現しにくいものもあり、その場合は指文字で表現されることがあります。また指文字を表現の一部にする手話単語もたくさんあります。例えば、「施設」は片手が指文字の「シ」を表現し、「センター」は指文字の「セ」を表現しています。

〈施設〉
左手の指文字「シ」の横から右手を右へ引き、直角に下ろす

〈センター〉
左手の指文字「セ」の横から右手を右へ引き、直角に下ろす

全日本ろうあ連盟発行『わたしたちの手話 学習辞典Ⅰ』『新日本語－手話辞典』

問17

　手話で表現した場合、手の形と位置は同じだが、手の動きだけが異なっている語の組み合わせはどれですか。

　　1.「経済」と「商売」　　2.「遊び」と「会社」
　　3.「姉」と「弟」　　　　4.「考える」と「私」

▶**問17の正解は1**

▶**解説**

以下、ご自身で手を動かしながらイラストをみて確認してください。

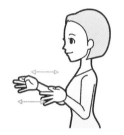

〈経済〉
両手2指の輪が交差するように水平に回す

〈商売〉
両手2指の輪を交互に前後させる。お金をやりとりする様子の表現

全日本ろうあ連盟発行『わたしたちの手話 学習辞典Ⅰ』『新日本語－手話辞典』

選択肢2は、手の形が異なります。

〈遊び〉
立てた両手人差指を顔の両脇で交互に前後に動かす

〈会社〉
両手2指を立て、指先を上に向けて顔の脇で交互に前後に振る

全日本ろうあ連盟発行『わたしたちの手話 学習辞典Ⅰ』『新日本語－手話辞典』

選択肢3は、手の形と動き、位置が異なります。

〈姉〉
立てた右手小指を上へ上げる

〈弟〉
立てた中指を下へ下げる

全日本ろうあ連盟発行『わたしたちの手話 学習辞典Ⅰ』『新日本語－手話辞典』

選択肢4は、手の動きと位置が異なります。

〈考える〉
頭をかしげ、右手人差指でこめかみをえぐるように回す

〈私〉
右手人差指で鼻を指す

〈私〉
右手人差指で胸を指す

〈私〉
胸に右手人差指の指先をあて、指先をはね上げる。「自分だけ」、「自分の」を表現

全日本ろうあ連盟発行『わたしたちの手話 学習辞典Ⅰ』『新日本語－手話辞典』

問18

都道府県の手話で、名所から作られたものはどれですか。

1. 香川　　2. 広島　　3. 長野　　4. 秋田

▶問18の正解は**2**

▶**解説**

　「広島」の手話は宮島にある厳島神社の鳥居の形から作られています。

　「秋田」は、名産品であるふきの形、「香川」と「長野」は手話単語から成り立っています。

 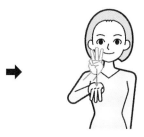 

〈香川〉

右手2指の指先を鼻に向けて下から近づけ、

伸ばした右手3指で「川」の字を書く

〈広島〉

2指の指先を向き合わせた両手を左右に開き、手を返して下ろす。鳥居の形を表現

〈長野〉

つまんだ両手2指の指先を向き合わせ、左右へ引き離し、

右手で指文字「ノ」を示す

〈秋田〉

掌を上に向けた左手甲の下に右手親指の先をつける。ふきの形の表現

全日本ろうあ連盟発行『わたしたちの手話 学習辞典Ⅰ』『新日本語−手話辞典』

問19

　次の語のうちで、一つだけ両手をつかわない手話表現があります。それはどれですか。

| 1. 気温 | 2. プライバシー | 3. オーバー | 4. 詳細 |

▶問19の正解は**2**

▶**解説**

〈気温〉

立てた左手掌に右手人差指をつけて上に向け、ゆっくり上げる。右手人差指を下げると「気温が下がる」という表現

〈プライバシー〉

立てた右手人差指を口の左側から右側へ動かす。個人の秘密であることを表現。「秘密」の手話をアレンジ（手を加えた）した表現

〈詳細〉

両手2指の指先をつけ、爪先でつぶすように2回指先を下に向ける

〈オーバー〉

右手小指側を左手親指側にあて、弧を描いて前へ出す

〈オーバー〉

甲を上にした左手親指側に右手の小指側をつけ、斜め上に上げる

〈オーバー〉

右手小指側を左手甲の親指側にのせて小指側へ押し出す

全日本ろうあ連盟発行『わたしたちの手話　学習辞典Ⅰ』『新日本語－手話辞典』

問20

次のことばを手話で表したとき、両手の形が異なるものはどれですか。

| 1. 生きる | 2. 訓練 | 3. 基準 | 4. 材料 |

▶問20の正解は3

▶解説

「基準」以外は、すべて両手拳を使った手話表現です。

〈生きる〉
腕を水平に構え、胸前で両手拳を同時に力強く少し下ろす

〈訓練〉
両手拳で両胸を同時に2回たたく

〈基準〉
左腕を立てた肘に指を前に向けた右手をつけ、右へ水平に引く

〈材料〉
左手拳の甲の上に右手拳を2回のせる。「作る」の手話をアレンジした表現

全日本ろうあ連盟発行『わたしたちの手話 学習辞典Ⅰ』『新日本語－手話辞典』

問21

手話表現したとき、漢字の字形を表現していないものはどれですか。

| 1. 災害 | 2. 非 | 3. 北陸 | 4. 虹 |

▶問21の正解は4

▶解説

手話の成り立ちには、物の形やその特徴、動き、漢字の字の形（一部）の引用があります。漢字の形で表現される代表的な手話は、名前の表現で使う、田、中、北、井、三、上、下、川などがあります。

「虹」は、漢字の字の形を引用するのではなく、事象（じしょう）の特徴から成り立っています。虹の色の認識は世界共通ではないそうです。アメリカやイギリスは6色、ドイツや中国は5色、日本人には7色に見えるそうです。手話でも、数詞の7の手の形で半円を描くように動かし表現します。

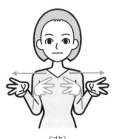

〈災害〉
立てた左手2指の上に右手3指で「く」形を書く。「災」の字形を表現

〈非〉
3指の指先を前に向け、掌を向き合わせた両手を左右へ引き離す。「非」の字形を表現

〈北陸〉
指を広げた両手2指を同時に下ろし、左右へ引き離す。「北」の字形を表現

〈虹〉
右手の数詞「7」で左から右へ上に向けて大きな弧を描く

全日本ろうあ連盟発行『わたしたちの手話 学習辞典Ⅰ』『新日本語－手話辞典』

問22

　耳で聞く音は空気の振動によって伝わります。次の中で「音の三要素」ではないものはどれですか。

| 1．音の大きさ | 2．音の長さ | 3．音の高さ | 4．音色 |

▶**問22の正解は2**

▶**解説**

　音の三要素は、①音の高さ（音波の周波数）、②音の大きさ（音波の振幅）、③音色（音波の波形）の3つからなります。女性や子どもの声は高い音に感じ、男性の声は低い音に感じます。これが音の「高さ」です。また音を聞いたとき"大きい"や"小さい"と感じます。これが音の「大きさ」です。さらに、同じ音の高さと大きさで例えばピアノやバイオリンを鳴らしたとき、何の楽器なのかを聞き分けることができます。これが音の「音色」です。

　正答の選択肢2「音の長さ」は、音程の単位として「度」を使い、一拍二拍のように音楽では重要なものですが、音の三要素には入りません。

問23

手話が言語であることについて、「言語（手話を含む。）」と、条文の一節に規定した法律は何ですか。

1. 障害者基本法
2. 障害者差別解消法
3. 障害者総合支援法
4. 障害者自立支援法

▶問23の正解は1

▶解説

2011（平成23）年の障害者基本法改正で、第3条第1項第3号に規定されたことにより、手話の言語性が認められたといわれています。

障害者差別解消法（障害を理由とする差別の解消の推進に関する法律）は、障害を理由とする差別の解消を推進し、誰もが障害の有無によって分け隔てられることなく、共生する社会の実現をめざして、2016（平成28）年4月に施行されました。

障害者自立支援法は、2013（平成25）年4月1日から障害者総合支援法（障害者の日常生活及び社会生活を総合的に支援するための法律）に変わり、障害者の定義に難病等が追加されました。

問24

聴覚障害者のために認定NPO法人障害者放送通信機構が提供している手話と字幕付きで視聴できる番組は何ですか。

1. 目で見るテレビ
2. 目で聴くテレビ
3. 耳で見るテレビ
4. 耳で聴くテレビ

▶問24の正解は2

▶解説

1995（平成7）年、阪神・淡路大震災が発生したとき、テレビのニュースに手話も字幕も付かず、聴覚障害者に対する情報保障がまったくなかったことの教訓をふまえ、全日本ろうあ連盟、全日本難聴者・中途失聴者団体連合会などが中心となり、1998（平成10）年から聴覚障害者のために手話と字幕を付けた「目で聴くテレビ」をCS放送（通信）により、スタートさせました。

2001（平成13）年6月には、「特定非営利活動法人（NPO法人）CS障害者放送統一機構」となり、聴覚障害者にかかわるニュースや地域の話題、文化・スポーツ、手話学習、

そして災害時の情報に、手話と字幕を付けて番組を提供しています。2003（平成15）年4月、受信機器の「アイ・ドラゴンⅡ」がCSアンテナ、緊急警報装置とセットで、身体障害者日常生活用具における「聴覚障害者情報受信装置」として指定されました。

　機会があれば、「目で聴くテレビ」をご覧になってみてください。

問25

　障害の「社会的障壁」について「障害がある者にとって日常生活または社会生活を営む上で障壁となるような社会における事物、制度、慣行、観念、その他の一切のものをいう」と定義づけている。これはどんな視点を取り入れたものですか。

1.　バリアフリー	2.　社会モデル
3.　インクルージョン	4.　リハビリテーション

▶**問25の正解は1**

▶**解説**

　選択肢1の「バリアフリー」は、高齢者や障害者等が生活する上で障壁（バリア）となるものを除去（フリー）することです。

　選択肢2の「社会モデル」は、高齢者や障害者等が生活する上で障壁となっているのは社会にあるという考え方です。

　選択肢3の「インクルージョン」は、「包括」「包含」などを意味する言葉です。

　選択肢4の「リハビリテーション」は、単なる機能回復ではなく、人間らしく生きる権利の回復や自分らしく生きることのために行われます。

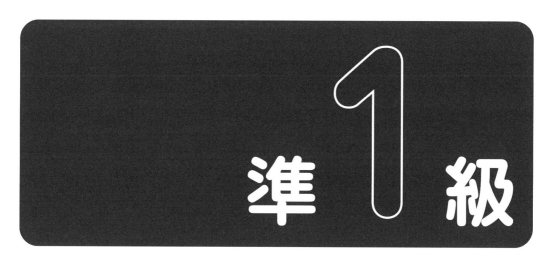

実技試験

1 「手話の読み取り」試験

1 試験の方法と問題

　準1級の手話の読み取り試験は、「基本単語の読み取り」と「ストーリーの読み取り」の2種類があります。

　手話の読み取り試験は、5級から準1級に示された基本単語 (注9) から出題されています。

　基本単語の手話表現は、全日本ろうあ連盟の出版物に掲載されている手話表現 (注10) を使用しています。

　試験の方法は、画面に提示される手話表現を見て、マークシートの正しい番号にマークをします。

注）
9 準1級の試験対象となる基本単語は、巻末資料165〜174ページに掲載しています。また、準1級の基本単語の手話表現については、『手話でステキなコミュニケーション5　改訂 DVDで学ぶ手話の本 全国手話検定試験準1級・1級対応』(中央法規出版、2016) 付属のDVDに収録しています。
10 全日本ろうあ連盟発行の『わたしたちの手話 学習辞典Ⅰ』を参考にしています。

2 試験問題にチャレンジ！

それでは、付属のDVDまたはWEB動画を見ながら、準1級の試験問題に取り組んでみましょう。

解答用紙は巻末資料、解答は79～85ページです。

WEB動画はこちらから

1　基本単語の読み取り

https://chuohoki.socialcast.jp/contents/816

2　ストーリーの読み取り

https://chuohoki.socialcast.jp/contents/817

3 試験のポイント

準1級の「基本単語の読み取り」は、5級から準1級の範囲より出題されます。「手の位置」「手の形」「手の動き」が似ている単語が選択肢として出題される傾向にあります。あわてず、手話表現をしっかり見て、選択肢と表現の意味合いを考えてみれば、おのずと答えを見つけ出すことができるでしょう。手話言語で豊かにコミュニケーションをするためには、単語数や語彙数を増やすことも重要です。楽しみながら習得単語を増やし、正確に覚えていくよう心がけてください。

「ストーリーの読み取り」では、医療、生活、福祉、教育、社会等あらゆる分野から出題されます。日頃から社会情勢などに関心を寄せておくことも大切です。表現は3回繰り返されますので、落ち着いて顔の表情や口形、うなずきなども意識しながら見てください。手話表現を一つひとつ日本語に置き換えず、話の全体の内容をつかむつもりで臨んでください。使用される基本単語の学習は欠かせません。しっかり覚えておきましょう。

ちなみに今回（第18回）の「ストーリーの読み取り」では、以下のような内容が出題されましたので、参考にしてください。

① 「イメージ旅行」
② 「国会での答弁書」
③ 「この先を生きるために」
④ 「最近のアニメーション技術」
⑤ 「誤診」
⑥ 「資源ごみからのリサイクル」
⑦ 「AEDの使い方研修」

1　基本単語の読み取り

問題1　正解は、**1**の「オホーツク」です。

　　　　左手の指文字「オ」から掌を上にした右手を右斜め下へ引く表現です。指文字「オ」から右手を流れ下ろす表し方をします。

　　　　国や大陸、地域名など覚えることはたくさんあります。正確に少しずつ覚えていきましょう。

問題2　正解は、**2**の「タイミング」です。

　　　　人差指を伸ばした両手の手首を直角にあて、右手を素早く立てる表現です。両手人差指を一直線に並べ、タイミングが一致したイメージを表現しています。

　　　　いずれの選択肢も人差指を用いています。指の向き、方向にも気をつけて動作や感情を表現していきましょう（80ページ「**覚えておこう！**」イラスト参照）。

問題3　正解は、**2**の「永遠」です。

　　　　平行に伸ばして狭めた右手2指を右目からゆっくり前へ出す表現です。コンスタントな状態がいつまでも続くという表現をしています。

　　　　選択肢の「比率」は両手を使います。指を動かす位置にも注意しながら表現してみましょう。

問題4　正解は、**3**の「ATM」です。

　　　　右手2指でカードを持ち、差し入れる仕草をし、左手を残し、右手2指の輪（お金）を前後する表現です。カードを使って現金の出し入れをする様子を表現しています。

　　　　この問題は選択肢2の「キャッシュカード」を選ばれる方が多くいました。混同しないようにしっかり区別しておきましょう。選択肢1の「人間ドック」の差し込みとは動作が異なります。また、選択肢4の「ユーロ」などの通貨単位についても大事です。海外や為替などの単語にも目を向けていきましょう（81ページ「**覚えておこう！**」イラスト参照）。

問題5　正解は、**4**の「憲法」です。

　　　　折り曲げた左手2指を折り曲げた右手2指で2回打ちつけてのせる表現です。憲法は「法」の上の「法」であることを表現しています。

　　　　選択肢は2指を折り曲げた表現の単語が集まっています。選択肢以外にも辞書などで調べてみましょう。

問題6　正解は、**3**の「科学」です。

人差指を伸ばした両手のつけ根を直角にあてる表現です。平原から上昇するロケットのイメージを表現しています。

選択肢はすべて人差指を用いた表現です。「科学」と問題2の正解「タイミング」の表現が似ていることにも注目してみましょう。

問題7　正解は、**1**の「公共」です。

左手人差指を斜め上に向けて置き、左手を残し、右手甲を上に向け、円を描く表現です。他の選択肢もすべて左手人差指を斜めに向けて置くことから始まります。各単語の表現もチェックしておきましょう。その他、「公民館」や「公立」「公務員」などの2級までの単語も見直しておきましょう。

問題8　正解は、**3**の「管理」です。

選択肢2「検事」との間違いが多く、「基本単語の読み取り」のなかで、最も正答率が低い問題でした。

正解の「管理」は、曲げた両手2指の指先を目に向け、手を返して指先を前方へ向ける表現です。しっかり開いた目で事業や働く人を見つめる表現をします。

選択肢はいずれも問題5と同じく、折り曲げた2指を使います。3級単語の選択肢1「車検」を選んだ方もいらっしゃいました。準1級の試験範囲には5〜2級の手話単語も含まれます。忘れていないか、表現の仕方が誤っていないか、もう一度確認しておくことも学習には大切な作業です。覚え直しも定期的に行うことで、記憶が定着していくことでしょう（82ページ「覚えておこう！」イラスト参照）。

覚えておこう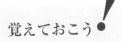

（正答率の低かった問題を3問選んでイラストで解説します）

問題2

〈タブー〉
両手人差指で「×」の印を作り、胸前で水平円を描く

〈遠回し〉
立てた左手人差指に右手人差指の指先を遠回しに近づける

〈矛盾〉
左手人差指を中心軸にして広げた右手2指を素早く半回転し、

人差指と親指を上下逆の位置で止める

問題4

〈人間ドック〉
右手2指を前に向けて広げ、下へ下ろし、

丸めた左手5指の中に掌を上にした右手2指を差し込む

 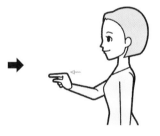 

〈キャッシュカード〉
右手2指で輪を作り、「お金」を示し、

右手2指でカードを入れるしぐさをする

〈ユーロ〉
左手5指の「C」形に右手2指の背をあて、右へ引く

問題8

〈車検〉
親指と4指を平行にした左手甲を曲げた右手2指の指先で2回たたく

〈電報〉
左手掌を曲げた右手2指の指先で2回たたく

〈検事〉
指を開いて曲げた右手2指を前に向けて額の中央にあて、

右手の親指を立て、胸前に置く

全日本ろうあ連盟発行『わたしたちの手話 学習辞典Ⅰ』『新日本語－手話辞典』

2　ストーリーの読み取り

ストーリー1

> 　私は旅が大好きです。私の旅の方法は図書館に行って本を読んで旅をイメージします。例えば、江戸時代の城下町で見つけた団子を食べたり、また、中世のイタリアに行って教会でお祈りしました。南極や北極、宇宙にもアクセスできます。パスポートも要らないんですよ。こんな旅もいいですよね。明日は、韓国・ソウルへ旅したいと思っています。

　以上により、問題1の正解は**1**の「図書館の本を読む」、問題2の正解は**3**の「パスポート」、問題3の正解は**1**の「ソウル」となります。

ストーリー2

> 　国会をテレビで見て、総理大臣をはじめ各大臣が答弁するのを見て、「すごいな」と感心していたら、実際は違いました…。「答弁書は官僚が作っていて、それを読んでいる」と聞いてがっかりしました。国民の税金で給与を得ている国会議員には真剣に、景気回復、こども政策の充実について考えて、議論してほしいし、私は一日も早い手話言語法の実現を祈っています。

　以上により、問題1の正解は**2**の「官僚の作った答弁書を読んでいるから」、問題2の正解は**4**の「こども政策」、問題3の正解は**2**の「手話言語法」となります。

ストーリー3

> 　最近は健康や病気を話題にすることが増えました。介護保険などの社会保障の実態、課題についても注目しています。ところで身体が衰えてだんだんとできなくなることが増えていくと思うと不安ですね。しかし、できることがまだまだあると考える心構えが大切だと教わりました。毎日を楽しく生きることを生きがいにして過ごしたいと思います。

　以上により、問題1の正解は**3**の「健康や病気」、問題2の正解は**1**の「できなくなることが増えてくる」、問題3の正解は**3**の「できることがあると考える」となります。

ストーリー4

> 息子が見たい映画に一緒に行くことがときどきあります。息子はポップコーンを食べながらアニメ映画に夢中になっています。アニメ映画は子どもだけではなく、大人からも高く評価されています。最近の創作アニメ映画はデジタル技術も使い、派手だけど繊細なつくり方で凄いですよね。評判が良いことがわかります。けれど、残念なのは、私は聞こえないので内容がよくわからず、字幕上映の期間もありますが、都合が合わないんです。残念！

　以上により、問題1の正解は**1**の「息子が見たい映画」、問題2の正解は**3**の「派手だけど繊細なつくり方」、問題3の正解は**1**の「字幕上映期間に行けない」となります。

ストーリー5

> 地域の健診を受け、胃潰瘍の疑いがあるので精密検査を受けるように言われました。総合病院で検査した結果は問題なしと言われました。しかし、10日後に病院から連絡があり、二人の医師で再確認をした結果、胃がんであることがわかったと言われました。最初は見落とされていたことに今の医学に疑問を感じましたが、今は早くに見つけてくれたことに感謝しています。

　以上により、問題1の正解は**2**の「胃潰瘍」、問題2の正解は**3**の「二人の医師で再確認したから」、問題3の正解は**1**の「今の医学」となります。

ストーリー6

> 私の地域では、水曜日・土曜日・日曜日と週に3回の資源ごみの収集があります。シルバー人材センターの人たちが担当して仕分けをしています。たくさんの資源が持ち込まれます。鉄、アルミニウム、プラスチック製品はリサイクルに回されます。生活しやすい環境を守るためにも、いろいろな物を大切に使用したいと思います。

　以上により、問題1の正解は**3**の「土曜日と日曜日」、問題2の正解は**2**の「プラスチック」、問題3の正解は**4**の「リサイクル」となります。

ストーリー7

> 社会福祉センターで健康と栄養に関する講習会があり参加しました。そこでAEDの使い方についての研修があり、参加しなければならないのですが、私は内気な性格で、みんなの前でやるのが恥ずかしいので、手首を炎症しているからと嘘をついて、遠慮しました。よい機会なのに自ら怠けてもったいないことをしたと後悔しています。高齢化社会の今、お互いが助け合うことが大事ですね。

　以上により、問題1の正解は**2**の「AED」、問題2の正解は**3**の「内気な性格」、問題3の正解は**1**の「怠けたこと」となります。

2 「手話での表現(手話によるスピーチ)」試験と
   「手話での会話(手話による応答)」試験

1 試験の方法と問題

　2分間の「手話での表現」は、受験者のみなさんが普段使用している手話表現で行っていただきます。その後の「手話での会話」は、受験者のみなさんが使用した手話と基本単語の手話で、各級の試験領域レベルの範囲で面接委員が質問をします。

　なお、各級の試験領域レベルについては、6ページ11．受験のめやすは？を参考にしてください。

....

1　手話での表現（手話によるスピーチ）

　◉個別面接の方法で行います。

　◉2分間手話でスピーチをします。

　◉第18回試験のテーマは「テレビドラマや映画にろう者や手話が取り上げられていることについて、どう思いますか」です。

....

2　手話での会話（手話による応答）

　◉「手話での表現」試験に引き続き、「手話での会話」試験が始まります。

　◉手話での表現（手話によるスピーチ）の内容を参考に、各級の試験領域レベルの範囲で面接委員の手話での質問に手話で応答をします。

2 試験のポイント

　準1級の試験領域は、「社会活動の場面を話題に会話ができ、一部専門的場面での会話ができる」としています。「手話での表現」試験で大切なことは、テーマにそった内容であることです。うまく手話を表現できていても、テーマにそった内容でなければ減点されてしまいます。

　今回（第18回）出題されたテーマは「テレビドラマや映画にろう者や手話が取り上げられていることについて、どう思いますか」です。近年、多くのドラマや映画で手話が題材にされています。ドラマや映画を見たことのある方は、感想などを伝えると会話が膨らむ糸口となるでしょう。ドラマや映画を見たことのない方でも、ろう者と触れ合って感じた自分の体験や思いなどを振り返ってみるとテーマに合う会話となります。この問題に限ら

ず、いろいろなことに対して自分の考えを整理して発信できるよう心がけておきましょう。

　「手話での会話」試験では、面接委員から質問された内容に対して「はい」「いいえ」という受け答えだけではなく、できるだけ具体的な内容で応答するように心がけてください。それをきっかけに、会話の内容がより広がっていき、楽しくコミュニケーションがとれるようになるでしょう。

3 参考解答と講評

　第18回の試験合格者のなかから、評価基準（7ページ参照）のバランスの良かった方の手話表現を、DVD（WEB動画）に収録しています。以下に講評をまとめましたので、表現を参考にして実際の手話表現に活かしましょう。

WEB動画はこちらから

① https://chuohoki.socialcast.jp/contents/818

▶講評
①Hさん
■手話での表現

　テーマを見て考え込むことなく、手話サークルに入る人や見学に来る人が増えたこと、ご自身が手話を始めたきっかけになった出来事を話され、そのときの表情が自然でスッと内容が理解できます。

　口形で区別できましたが、「映画」と「テレビ」の表現が同じようになっています。また、「知らない」の手話の位置が肩の上になっていますので、手の位置、動きの微妙な部分の表現を確認してください。

■手話での会話

　緊張もなく力んでいる様子もみられず、面接委員の顔を見て受け答えができています。職場の人たちが手話に対して難しいと感じている様子がそのまま伝わってきて、状態をわかりやすく表せています。

　ごく当たり前のことですが、ろう者が聞こえる人と一緒に暮らしていることを意識されているのは、とても良いことだと思います。さらに手話の力を身につけるためにろう者との関わりをもち続けてください。

合格者の声

😊 全国手話検定試験に際して、所属するサークルの皆さんからたくさんの協力をいただき、とても感謝しています。
サークルでは試験と同様に、提示されたテーマを時間内でスピーチする練習を行い、自宅では『これで合格！全国手話検定試験解説集』で過去問の読み取り練習を繰り返しました。サークルに参加できないことも多く不安もありましたが、結果を残すことができ嬉しく思います。
ろうの方との会話は、それぞれ表現方法に個性があったり、この表現でこういう意味なの？！と特有の手話があったり…。実際に会わなければ知りえないことがたくさんあります。今回の結果を励みに、これからも手話を地道に学んでいきたいと思います。

筆記試験

1 試験の方法と問題

筆記試験の出題分野となる試験科目は2級、準1級、1級は共通です。

①試験科目

- ・聴覚障害者のコミュニケーション手段とその特徴
- ・耳の仕組み、障害と社会環境
- ・聴覚障害者の暮らし
- ・ろうあ者の歴史
- ・聴覚障害者関連福祉制度
- ・手話の基礎知識

②解答方法

- ・準1級の筆記試験は、穴埋め方式です。

2 試験問題にチャレンジ！

それでは、巻末資料の準1級の筆記試験問題に取り組んでみましょう。

解答は、90〜95ページです。

問1

　（ア）難聴の場合は、音を（イ）に伝える部分の障害のため音が小さくなってしまいますが、（イ）に異常がない場合は、（ウ）で十分に大きな音に増幅すれば聞き取りは改善されます。（ウ）の装用効果がかなり（エ）といえます。

1．中耳	2．内耳	3．外耳	4．補聴器
5．集音器	6．低い	7．高い	8．伝音性
9．感音性	10．突発性		

▶問1の正解は、アは8、イは2、ウは4、エは7

▶解説

　伝音性難聴の特徴について説明している問題です。聞こえの仕組みや聴力検査、聞こえの実態を通して、理解しましょう。

　伝音性難聴は、空気の振動としての音（音波）を内耳に伝える外耳道、鼓膜、耳小骨の部分（外耳、中耳）に障害（病変）があるため、振動が伝わりにくくなって、聞こえる音が小さくなります。内耳に異常がない場合は、補聴器で音を十分な大きさに増幅して伝えることにより、聞き取りの効果が高くなります。

問2

　日本では、1878（明治11）年、京都に（ア）が設立されました。手話はろう児の集団形成とともに、（イ）を通じて形成され、ろう者の集団の中で発展したものと考えられます。この時代は、聞こえないという障害ゆえの（ウ）や社会的偏見がありました。

1．盲唖院	2．ろうあ協会	3．歴史
4．手話サークル	5．平等	6．教育
7．差別	8．自然	

▶問2の正解は、アは1、イは6、ウは7

▶解説

　手話はろう者の集団形成とともに自然的に発生してきました。わが国最初の聾学校として、1878（明治11）年に京都盲唖院、1880（明治13）年には東京に訓盲院が設立

され、教育の場で手話が取り入れられました。1923（大正12）年に国は盲学校や聾学校の設置を道府県の義務としました。全国各地に聾学校が創設され、ろう児や卒業生の成人ろう者の集団が形成され、互いが身振りや手振りでコミュニケーションをとるなかで手話が生まれ、発展してきました。当時の社会は障害者を憐れみ慈善の対象者として見る一方で、存在を疎まれ手話も否定され、手話を使うろう者に対する蔑視・偏見が根強くありました。戦後、日本国憲法の制定や諸制度が創設されるなか、人間として対等に生きる権利に目覚めたろう者の運動が展開され、ろう者に対する障害者観が大きく変わり、手話も言語としての認識が広がっています。

> **問3**
>
> 2022（令和4）年5月に（通称）障害者情報アクセシビリティ・コミュニケーション施策推進法が施行されました。この法律は、全ての障害者があらゆる分野の（ア）に参加するためには、情報の十分な取得利用や（イ）意思疎通が極めて重要であることから、障害者による情報の取得利用・意思疎通に係る施策を総合的に推進し、（ウ）の実現に資するために制定されました。
>
> | | | |
> |---|---|---|
> | 1. 仕事 | 2. 集会 | 3. 活動 |
> | 4. 円滑な | 5. 一定の | 6. お互いの |
> | 7. 共存社会 | 8. 共生社会 | |

▶問3の正解は、アは3、イは4、ウは8

▶解説

障害者情報アクセシビリティ・コミュニケーション施策推進法は、2022（令和4）年の通常国会に議員立法として提案され、5月19日に可決、成立し、同月25日に公布、施行されました。正式名称は「障害者による情報の取得及び利用並びに意思疎通に係る施策の推進に関する法律」といいます。「情報の取得及び利用」の部分は「情報アクセシビリティ」、「意思疎通」の部分は「コミュニケーション」として、「障害者情報アクセシビリティ・コミュニケーション施策推進法」を通称としています。

全日本ろうあ連盟が中心になって、全国手話通訳問題研究会、日本手話通訳士協会、全日本難聴者・中途失聴者団体連合会、全国盲ろう者協会、全国要約筆記問題研究会とともに、2010（平成22）年に「聴覚障害者制度改革推進中央本部」を立ち上げました。2011（平成23）年に情報・コミュニケーション法（仮称）の制定を求めて「We Love コミュニケーション」パンフレット普及と全国116万人署名運動を展開しました。そして情報アクセシビリティフォーラムの開催など、法案の策定のための運動を継続していき

ました。そして、「We Love コミュニケーション」パンフレット普及・署名運動から11年を経て施行されたのです。日本聴力障害新聞をはじめ、マスコミで広く報道されました。

　この法律の目的（第1条）（以下要約）は、「全ての障害者が、あらゆる分野の活動に参加するためには、その必要とする情報の十分な取得利用・円滑な意思疎通が極めて重要であり、障害者による情報の取得利用・意思疎通に係る施策を総合的に推進し、共生社会の実現に資する」こととされています。

　「この法律において『障害者』とは、障害者基本法第2条第1号に規定する障害者」とされており（第2条）、第3条の「基本理念」として、以下の内容が記載されています。

　障害者による情報の取得利用・意思疎通に係る施策の推進に当たり旨とすべき事項

① 障害の種類・程度に応じた手段を選択できるようにする

② 日常生活・社会生活を営んでいる地域にかかわらず等しく情報取得等ができるようにする

③ 障害者でない者と同一内容の情報を同一時点において取得できるようにする

④ 高度情報通信ネットワークの利用・情報通信技術の活用を通じて行う（デジタル社会）

　今後の情報アクセシビリティ・コミュニケーション施策の基本的な柱として施策が進められるよう活かしていくことが大切です。

問4

　手話の「夜」と「〜なる」では（ア）が異なり、「思う」と「心」では（イ）が異なります。また「裁判」と「人事異動」では（ウ）が異なります。このような例から、手話という言語は一定の要素が複雑に組み合わさって構成されているといえます。

1. 手指の位置　　2. 手指の動き　　3. 語順
4. 手指の形　　　5. 頭の動き　　　6. 顔の表情
7. 体の向き　　　8. 手のひらの向き

▶問4の正解は、アは8、イは1、ウは2

▶解説

　手話の「夜」と「〜なる」では、両手を交差させる動きは似ていますが、掌（てのひら）の向きが異なります。掌を「夜」は前に、「〜なる」は自分側に向けて表します。

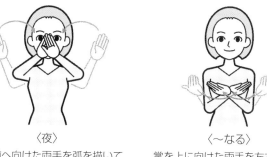

〈夜〉
掌を前へ向けた両手を弧を描いて
引き寄せ、目の前で交差させる

〈〜なる〉
掌を上に向けた両手を左右から引
き寄せて交差させる

全日本ろうあ連盟発行『わたしたちの手話 学習辞典Ⅰ』『新日本語－手話辞典』

「思う」と「心」では、同じ手指の形ですが、あてる位置が異なります。人差指の指先を「思う」はこめかみ、「心」は腹の位置にあてて表します。

〈思う〉
右手人差指の指先をこめかみにあ
てる

〈心〉
右手人差指の指先を腹にあてる

全日本ろうあ連盟発行『わたしたちの手話 学習辞典Ⅰ』『新日本語－手話辞典』

「裁判」と「人事異動」はどちらも両手の親指を立てた手指の形ですが、動きが異なります。「裁判」は裁判官の法衣のイメージで前に弧を描くように動かします。「人事異動」は親指を立てた両手を胸前で2回交差して人の配置がかわる様子を表します。

〈裁判〉
両手親指を同時に弧を描いて前方
斜め下へ下ろす

〈人事異動〉
親指を立てた両手を左右から引き
寄せ、胸前で2回交差させる

全日本ろうあ連盟発行『わたしたちの手話 学習辞典Ⅰ』『新日本語－手話辞典』

手話を構成する要素には、掌の向きを含めた手指の形、手指の位置、手指の動きがあり、手話はこれらの要素が組み合わさってさまざまな単語をつくっています。

問5

（ア）が1969（昭和44）年に発行した『わたしたちの手話』は、手話を（イ）で紹介したわが国では初めての本格的な手話単語集でした。それは、（ウ）として位置づけられています。

1. 全国手話研修センター	2. 全国手話通訳問題研究会
3. 全日本ろうあ連盟	4. イラスト　　5. 文章
6. 日本語対応手話	7. 映像　　8. 標準手話

▶問5の正解は、アは**3**、イは**4**、ウは**8**

▶解説

　1986（昭和61）年の第10巻まで続いたこの本のシリーズは、音声言語を見出しとして、手話のイラストを掲載した単語集です。標準手話の全国的な普及と手話サークルの発展に貢献し、日本手話研究所（現・全国手話研修センター手話言語研究所）設立への流れをつくりました。日本語見出しで13,000語を超える標準手話の主な単語は、現在の『わたしたちの手話 学習辞典』2冊に収められています。

問6

　（ア）の交付があれば、障害福祉の窓口に申請することで（イ）の交付を受けられます。しかし、両耳の聴力レベルが（ウ）未満の場合は、（ア）が交付されないため制度の対象外となり、全額自己負担となります。

1. 障害者年金手帳	2. 身体障害者手帳	3. 厚生年金手帳
4. 筆談ボード	5. 補聴器	6. 携帯電話
7. 40デシベル	8. 70デシベル	

▶問6の正解は、アは**2**、イは**5**、ウは**8**

▶解説

　現在、学業や仕事、生活の支援、認知症予防の観点から、軽度・中等度難聴者に対する補聴器購入費助成に取り組む自治体も増えてきていますが、まだまだ少ない状況です。対象年齢が全年齢、65歳以上、18歳以上など、自治体によってまちまちであることも見受

けられます。

問7

　私たちは、（ア）を使いお互いの感情や意思を伝えあっていますが、（ア）よりも表情、視線、身振りなどのほうが、より大切な役割を担っていることがあります。これらの（イ）には、メイクや服装、呼吸や（ウ）などもはいります。

　　1．頭脳　　　　2．ことば　　　　3．声の調子

　　4．指文字　　　5．言語コミュニケーション

　　6．非言語コミュニケーション　　　7．文字　　　8．メール

▶問7の正解は、アは**2**、イは**6**、ウは**3**

▶解説

　ことばや文章を使って情報を伝える言語コミュニケーションだけではなく、ことば以外の手段を使って伝える非言語コミュニケーションをうまく使うことで相手によりわかりやすく伝わることもあります。両方とも大切なコミュニケーションツールです。手話言語は、両者を組み合わせた言語です。

問8

　世界には数千もの言語があるといわれていますが、その伝達方法をみると、音声言語と（ア）言語に二分されます。音声言語は（イ）に依存するだけではありません。文字は音声言語を（ウ）したものです。そのため、文字はろう者も聞こえる人も双方が共通に利用できます。

　　1．視覚化　　　2．視覚　　　3．聴覚　　　4．標準化

　　5．方言　　　　6．概念　　　7．筆談　　　8．手話

▶問8の正解は、アは**8**、イは**3**、ウは**1**

▶解説

　ろう者は音声言語を視覚化した文字を見て理解できますが、耳から入る情報で文字の理解を深めたりすることができないこともあって、文字は苦手だという方がいます。聴覚で知る情報を視覚化すれば、聞こえない人・聞こえにくい人はもちろん、聞こえる人にも優しい社会になるでしょう。

1 「手話の読み取り」試験

1 試験の方法と問題

　1級の手話の読み取り試験は、「ストーリーの読み取り」の1種類のみです。

　基本単語の手話表現は、全日本ろうあ連盟の出版物に掲載されている手話表現 (注11) を使用しています。

　試験の方法は、画面に提示される手話表現を見て、マークシートの正しい番号にマークをします。

注)
11 全日本ろうあ連盟発行の『わたしたちの手話 学習辞典Ⅰ・Ⅱ』『新しい手話Ⅰ〜Ⅳ・2007〜2017』『スポーツ用語』『新 日本語ー手話辞典』を参考にしています。

2 試験問題にチャレンジ！

　それでは、付属のDVDまたはWEB動画を見ながら、1級の試験問題に取り組んでみましょう。

　解答用紙は巻末資料、解答は98〜101ページです。

WEB動画はこちらから

ストーリーの読み取り

https://chuohoki.socialcast.jp/contents/819

3 試験のポイント

　1級の「手話の読み取り」試験は、「ストーリーの読み取り」のみです。1級の基本単語リストはありません。5級から準1級の単語はもちろんのことですが、全日本ろうあ連盟の出版物などに掲載されている手話単語の学習が必要になります。新しい手話を含めて学習を深めましょう。

　ここではさまざまなテーマに対応できる知識をもつことが大切です。日頃から社会的な問題等さまざまな分野について興味、関心をもち知識を広めていくことが大切です。

　慣れない手話がでてきても表現は3回繰り返されますので、2回、3回と見ていくともっている知識が意味を補完してくれることでしょう。あわてず落ち着いて話の中身をつかむように努めましょう。

　ちなみに今回（第18回）の「ストーリーの読み取り」では、以下のような内容が出題されましたので、参考にしてください。

　　①「日本医療の現状」
　　②「SDGs」
　　③「手話で話しかけられたことの喜び」
　　④「東京2025デフリンピック」
　　⑤「新型コロナウイルス感染症流行後の情報保障」
　　⑥「聴覚障害者への偏見」
　　⑦「日本で暮らす万人へ共通した配慮」
　　⑧「電話リレーサービスを利用した変更手続き」

4 解答と解説

ストーリーの読み取り

ストーリー1

　　日本は、医療従事者の不足が問題になっています。日本の医療サービスは間違いなく世界トップレベルといえるでしょう。さらに、日本では国民全員が保険制度によって、保険に加入している人は安価で医療サービスを受けることができます。しかし、医療現場は常に過酷で、それに見合う労働環境や給与が用意されないケースも多く、離職率は高いのが現状です。

　以上により、問題1の正解は**2**の「医療従事者の不足」、問題2の正解は**4**の「医療サービス」、問題3の正解は**1**の「離職率が高い」となります。

ストーリー2

　　地球の平均気温は産業革命時と比べて少しずつ上昇し、飢餓に苦しむ人の数は2019年には6億人以上と、今後人類が生存していくうえで、致命的な課題が解決されていません。このような状況に危機感を抱いた国際社会が共通の達成目標として掲げているのがSDGsです。これは、2015年9月に国連で開かれたサミットのなかで決定された、国際社会共通の目標です。持続可能でよりよい世界の実現をめざし、期限を2030年までとしています。

　以上により、問題1の正解は**2**の「6億人」、問題2の正解は**4**の「SDGs」、問題3の正解は**2**の「2030年」となります。

ストーリー3

　　国に手話言語法の制定を求める運動のなかで、手話言語条例を施行する自治体が増えています。ろう者と手話についての理解を広めるためのパンフレットが配布され、動画も作られています。以前、仕事で行った場所で、ホテルがわからず、案内板を見ていたら、突然、話しかけられたことがあります。「聞こえません」と身振りで答えたら、びっくりしたことに、手話で「あ、すみません。何かお困りですか」と話されました。「えっ、手話わかるの？ホテルがわからないんです」「あ、わかりますよ。ご案内しますね」といった具合でした。このように自然に手話で会話できる人が増えてほしいですね。

　以上により、問題1の正解は**1**の「手話言語条例を施行する」、問題2の正解は**4**の「パンフレットと動画」、問題3の正解は**3**の「すみませんと言って手話を使ってくれた」となります。

ストーリー4

　2025年11月にデフリンピック第25回夏季大会が東京にて開催されることになりました。1924年にフランスのパリで第1回世界ろう者競技大会が行われてから100年経過して開催される記念の大会となります。デフリンピックという名称は2001年から国際オリンピック委員会の承認を得て使われ始めました。オリンピック、パラリンピックと同じように4年ごとに開催されます。まだまだデフリンピックを知っている人は少ないので、この大会をきっかけにろう者や手話の理解が普及し、定着すると良いですね。

　以上により、問題1の正解は**2**の「世界ろう者競技大会」、問題2の正解は**3**の「第25回」、問題3の正解は**3**の「ろう者や手話の理解が定着してほしい」となります。

ストーリー5

　2020年の1月から新型コロナウイルス感染症が流行し、国内では3,300万人以上の感染者があり、亡くなった人は7万4,000人を超えています。マスクを着用し、社会的距離をとって、密閉・密集・密接の三密を避ける生活が定着し、対面の会議などにかわりテレビ電話を利用する会議が普及しました。自治体の記者会見に手話通訳がつくようになり、遠隔手話通訳の整備も進みましたが、ろう者や難聴者が感染した場合、検査や受診の情報とコミュニケーション保障はスムーズでしょうか。いろいろ課題がまだまだ残っています。

　以上により、問題1の正解は**3**の「3,300万人以上」、問題2の正解は**3**の「テレビ電話を利用して会議をすること」、問題3の正解は**1**の「検査や受診の情報保障」となります。

ストーリー6

　行政との協議で、聞こえる人と同じ情報が保障されるようにしてほしいと意見を出しました。すると「聴覚障害者が求める情報がどんなものかわからなくて」と言われました。聴覚障害者だからこのような情報が必要ということではなく、聞こえる人が得ている情報と同じ情報を聞こえなくても伝わるようにしてほしいということがなかなか伝わらなかったです。人として平等ではなく聴覚障害者という見方にこだわっていると感じました。

　以上により、問題1の正解は**3**の「聞こえる人と同じ情報保障がほしい」、問題2の正解は**2**の「聴覚障害者が求める情報がわからない」、問題3の正解は**3**の「人として平等では

なく聴覚障害者という見方」となります。

ストーリー7

　日本に暮らす外国人の数は、2022年6月末現在、約296万人です。日本の人口の約2%です。その約75%がアジア出身で、最も多いのは中国で約3割です。日本で暮らす理由としては、留学、就労、結婚、親戚との同居などです。また、インバウンドといって日本に来る外国人観光客も増えています。コロナ禍の前、2019年は約3,100万人とのことです。外国人の姿が多くなることは、日常的に多様な人々の姿を見たり交流したりして視野が広くなるので良いと思います。日本に暮らす外国人や外国からの観光客が、日本に滞在するときに不便のないように配慮することは、聞こえない人たちをはじめ、障害のある人にとっても不便のない社会になることだと思いますね。

　以上により、問題1の正解は**2**の「中国」、問題2の正解は**1**の「多様な姿を見ることにより視野が広くなるので良い」、問題3の正解は**1**の「日本に暮らす外国人が不便のないように配慮する必要がある」となります。

ストーリー8

　ID登録の入力ミスをしてしまいました。修正の必要をメールしたところ、回答は、変更手続きは電話での連絡が必要だと言われました。手話通訳での電話を頼みましたが、本人確認ができる電話リレーサービスを利用して連絡がほしいと言われました。登録事項で本人の確認ができるメリットはありますが、初めて画面越しに会う手話通訳者に十分な支援ができるだろうかと不安があります。

　以上により、問題1の正解は**1**の「ID登録」、問題2の正解は**1**の「電話連絡が必要なため」、問題3の正解は**3**の「利用登録事項で本人確認ができる」、問題4の正解は**3**の「初めて画面越しに会う手話通訳者の支援」となります。

学習へのAdvice

　手話サークルや聴覚障害者協会などでの交流や地域活動は、技術の習得はもちろんですが、さまざまな関心や知識の幅を広げる大きな力となります。積極的な参加を心がけましょう。

2 「手話での表現(手話によるスピーチ)」試験と 「手話での会話(手話による応答)」試験

1 試験の方法と問題

　2分間の「手話での表現」は、受験者のみなさんが普段使用している手話表現で行っていただきます。その後の「手話での会話」は、受験者のみなさんが使用した手話と基本単語や新しい手話などで、面接委員が質問をします。

　なお、各級の試験領域レベルについては、6ページ11. 受験のめやすは？を参考にしてください。

1　手話での表現（手話によるスピーチ）

　◉個別面接の方法で行います。

　◉2分間手話でスピーチをします。

　◉第18回試験のテーマは「**地震・豪雨等、災害への心構えなどを話してください**」です。

2　手話での会話（手話による応答）

　◉「手話での表現」試験に引き続き、「手話での会話」試験が始まります。

　◉手話での表現（手話によるスピーチ）の内容を参考に、面接委員の手話での質問に手話で応答をします。

2 試験のポイント

　「手話での表現」および「手話での会話」試験は、限られた短い時間のなかでの手話の理解力と表現力が評価されます。1級ではことがらへの関心や知識だけではなく、与えられたテーマについて自分の考えを整理して話す力、そして臨機応変によどみなく会話する力が必要とされます。

　今回（第18回）出題されたテーマは「地震・豪雨等、災害への心構えなどを話してください」です。私たちには身近なことです。地震発生頻度の高い日本では特に日々の備えや考えが大切です。

　1級については時事問題なども含め、いろいろな角度からテーマが出されます。提示されたテーマについて、どれだけスピーチと会話ができるかがポイントとなります。

　豊かな内容で話をするためには、与えられたテーマについて、社会問題と結び付けて話

を展開していく広い視野と知識も必要です。そのために、さまざまな分野への好奇心と自分なりの考えをもっていることが必要です。日頃から社会問題に興味、関心をもち幅広い知識を身につけることが試験の際にも活きてきます。

　技術面でも、基本的な積み重ねがとても大切です。幅広い年代のろう者や、手話を学習する仲間との交流を通して、楽しみながらいろいろな会話術を身につけていきましょう。

3　参考解答と講評

　第18回の試験合格者のなかから、評価基準（7ページ参照）のバランスの良かった方の手話表現を、DVD（WEB動画）に収録しています。以下に講評をまとめましたので、表現を参考にして実際の手話表現に活かしましょう。

WEB動画はこちらから

 　https://chuohoki.socialcast.jp/contents/820

▶講評

①Iさん

■手話での表現

　地震や豪雨などの災害が各地で頻繁に起こり、もはや他人事（ひとごと）ではありません。今回のIさんも、災害に対しての具体的な対策などについて、面接委員の目をしっかり見ながら、きちんと手話で伝えようという気持ちのこもった、素晴らしいスピーチです。

■手話での会話

　普段から耳が聞こえない・聞こえにくい人たちとの交流が多くあるのだろうなと思えるほど、ごく自然な手話表現です。きちんと面接委員の質問に合った返答を、表情豊かに具体的でかつ視覚的に表出できています。すごく自然な雰囲気で、幅広い会話内容になっていて、コミュニケーション能力の高さを感じます。

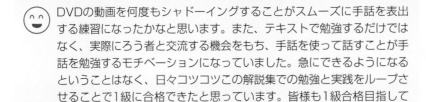

よくばりアドバイス

　非常に上手に手話表現ができています。その表現はごく自然に表出されていて、ろう者とのコミュニケーション能力に長けていると思います。将来的には手話通訳者および手話通訳士をめざされるかと思います。もちろん、それだけの能力を備えていると感じます。そこで、あえて言えばの範囲なのですが、手話通訳活動を今後展開していく場合、ステージ上での通訳場面も増えてくると思います。その際は、ろう者と気楽にコミュニケーションをする場合の手話表現とは少し違う、フォーマル的な手話表現も意識的に身につけていくことも大事かなと思います。がんばってください。

合格者の声

DVDの動画を何度もシャドーイングすることがスムーズに手話を表出する練習になったかなと思います。また、テキストで勉強するだけではなく、実際にろう者と交流する機会をもち、手話を使って話すことが手話を勉強するモチベーションになっていました。急にできるようになるということはなく、日々コツコツこの解説集での勉強と実践をループさせることで1級に合格できたと思っています。皆様も1級合格目指してがんばってください。

筆記試験

1 試験の方法と問題

筆記試験の出題分野となる試験科目は2級、準1級、1級は共通です。

①試験科目

- ・聴覚障害者のコミュニケーション手段とその特徴
- ・耳の仕組み、障害と社会環境
- ・聴覚障害者の暮らし
- ・ろうあ者の歴史
- ・聴覚障害者関連福祉制度
- ・手話の基礎知識

②解答方法

- ・1級の筆記試験は、小論文方式です。
- ・小論文は、与えられたテーマについて自分の考えを600～800字程度で記述するものです。小論文は、テーマに即して正しい情報を簡潔に述べることが大切です。
  記述に際しては以下のことに注意してください。
- （1）内容がテーマに合っていること
- （2）テーマについて正しい知識が書かれていること
- （3）論旨を明確にし、読む人にとってわかりやすい文で書くこと
- （4）段落を設けて読みやすい構成にすること
- （5）誤字や脱字がないようにすること
- （6）「…だ（である）」調と、「…です（ます）」調が混在しないよう、文体を統一すること
- （7）指定された字数で記述すること

2 試験問題にチャレンジ！

それでは、小論文に取り組んでみましょう。第18回の小論文のテーマは「デジタル技術の広がりで聴覚障害者の暮らしはどう変わると思いますか。あなたの思いを自由に書いてください」です。

106～110ページに、第18回の試験合格者のなかから、評価の高かった2人の小論文を紹介しています。講評を参考にしながら、小論文対策のポイントをおさえましょう。

1級の筆記試験の試験科目は2級・準1級と同様ですが、出題方式が異なり「小論文方式」です。したがって、広い範囲からテーマが与えられますので『改訂 よくわかる！手話の筆記試験対策テキスト』(中央法規出版、2014年）や全国手話研修センターのホームページの情報などを参考にして学習してください。また、全国手話検定試験の過去問題解説集（第1回〜第18回）を参考にされると出題傾向を知ることができます。

与えられたテーマについて、自分の考えを記述するときには、105ページの「試験の方法と問題」の②解答方法について確認しておきましょう。

4 小論文解答例と講評

※ 以下の2つの解答例につきましては、内容を変えず原文のまま掲載しております。

▶解答例

①Jさん

デジタル技術の広がりで聴覚障害者の暮らしは、現在よりも便利になると考える。❶デジタル技術を活用して聴覚障害者の暮らしを助けているものの1つに、UDトークが挙げられる。現在もこのアプリは日々アップデートを繰り返しているが、正直、性能はまだまだな部分が多い。しかし、音を文字として変換する機能は、多くの聴覚障害者の情報保障の一助になっている。❷聴者と気軽に繋がることがしやすくなり、以前よりやりとりに気負いしなくなった、というろう者の思いも聞いたことがある。そのため、文字おこしのデジタル技術が時代と共に発展すれば、聴覚障害者が情報を受けとる際に困ることも減らせるのではないかと思う。

しかし、これだけでは充分な施策とはいえない。❸日本語が第一言語でない人の存在がある上に、やはり文字のみでは相手のテンションの違いやあたたかみなどは捉えづらいのが現状だ。手話を映像にする技術、文字・文を手話にする技術の研究をされている方から話をきいたことがある。❹手話、特に日本手話は文字

❶聴覚障害者の暮らしを便利にするデジタルツールとして、UDトークを端緒に考察を進めようとしている。

❷「やりとりに気負い…」。聴覚障害者に限らず障害を持つ人たちは、日常のさまざまな場面で、都度当たり前に心的負担を感じながら暮らしている。デジタル技術は、その負担を軽減する一つ。

❸手話は視覚言語。音声言語に比べ、さらに豊かに雄弁に「ニュアンス」や「想い」を伝えうる。一方、文字には文字の優位性があることも確認したい。

❹上記❸をふまえたうえで、ここ

におこしたり、映像として変換するのは複雑で難しいけれど、これを成功できたら社会は大きく変わると思うから、数年後を期待して待っていてほしい、とおっしゃっていた。とても心強いお言葉だったし、本当に実現されてほしいと思った。情報保障不足のゆえの選択技の狭ばりなど、"きこえない"という障害を、障害として感じずにすむ未来が、デジタル技術の普及に伴うよう願っている。

　それらの思いとともに❺私がもう1つ主張したいのは、そのような明るい時代がきても、手話を学ぶ人が増えてほしい、ということだ。やはり、機械に頼らない人対人の会話の楽しさを越えるものはないからだ。また、手話という言語は、その人の生き方や学んできた過程までも感じられる不思議な力をもっていると思う。会話の中で相手を知り、理解するためには、同じ言語を使う必要があると感じている。これらをかなえられるよう、私も精進したい。

で述べている技術の実現は、聴覚障害者が日常で感じている心的負担を大きく軽減しうる。さらに多方面でのデジタル技術の開発も望まれるところだ。

❺大切な視点。コミュニケーションの基本は対面の会話にあろう。今の時代が「目を見ない」風潮だからなおのこと。
　後段の手話言語について述べている部分はさらに良い。手話の魅力や奥深さをよく見ている。それを理解する人がさらに増えてほしいという記述に同感。

☆総合的な講評
　今回のテーマにJさんは、UDトークを切り口に考察を展開されました。「聴覚障害」が「情報障害」ともいわれるように、聞こえない人たちには情報や意思のやりとりが自由にできないことが、大きな困難になっています。そしてそのやりとりの都度、「心的負担」を感じています。また他の障害のある人たちもそれぞれの障害で、その都度「心的負担」を普通に感じながら暮らしています。それらの軽減に対応するデジタル技術の開発も望まれます。
　囲みでもふれましたが、Jさんは手話に対してとても良い見方・とらえ方をされています。特に最後の段落の記述はまさにそのとおりで、Jさんが普段からよく聞こえない人たちと交流されているのであろうことが窺えます。「手話言語」と「コミュニティ」という視点にも考察を広げてみてください。聞こえない人たちとの、息の長い交流と活動を期待します。

②Kさん

近年、デジタル技術の進歩により、聴覚障害者の暮らしは少しずつ変化してきたように感じる。❶デジタル技術の進歩がもたらす、聴覚障害者へのメリットとデメリットを以下に述べたいと思う。

まず、❷メリットとしては、「見て分かる」ものが増えたことにより、聴覚障害者が自然と情報を取り入れられるようになったことだ。例えば、駅の電光掲示板では、今までは放送だけで伝えられていた電車の遅延が、タイムリーに表示されるようになった。また、今までは電話や直接のやりとりが必要だった病院の予約が、ホームページ上でできるようになってきた。他にも、飲食店でのタブレット注文やテレビの字幕機能等、デジタル技術の進歩により、聴覚障害者が「見る」ことで情報を得られるようになってきたと考える。

一方で、❸デメリットもあるのではないかと感じている。それは、人と人との直接的なコミュニケーションの場面が減ってしまうことである。聴覚障害者が聴者に直接やりとりをする機会が減れば、聴覚障害に対する理解が広まっていかないのではないかと考える。❹近頃、聴覚障害や手話を取り上げたテレビ番組が放映された。聴覚障害者と関わりを持ったことがない友人は、「手話っておもしろいね。でも手話ができないと、コミュニケーションが図れないのだね。」と話していた。実際は、筆談や音声を文字化するアプリ等、様々な手段があるのに、それを知らずに聴覚障害を理解したかのような様子に、私は悲しくなった。そのため、実際に聴覚障害者と聴者がお互いを意識して直接関わっていくことが大切だと感じた。

以上がメリットとデメリットである。❺デジタル技術が発展していくことはとても良いことであるが、人と人との関わりも大事にされる社会になってほしいと願っている。そして、聴覚障害が理解され、聴覚障害者がもっと生活しやすい社会になってほしい。

❶今回のテーマについて、メリットとデメリットに分けての考察という構成を、冒頭で提示している。読む側からは入りやすい。

❷メリットの例として、駅の電光表示、病院の予約、飲食店での注文、テレビの字幕放送を挙げている。他に電話リレーサービス等を含めた情報通信手段の多様化ということも、デジタル技術による大きなメリットといえよう。

❸デメリットとして、直接のコミュニケーションの機会が減ることで、「聴覚障害の理解」の機会も減るとしている。この記述はそのとおりだ。

❹この友人の対応は、残念ながら特別なことではないのが現実だ。「聴覚障害の理解」をもっと広めていかなくてはならない。

　記述されているように、直接関わるのが一番良い。

❺「人と人の関わりも大事に…」というのもそのとおりだ。ただこの部分の記述が、もう少し深められていると、全体としてなお良い小論文になった。

☆総合的な講評

　Kさんは今回のテーマを、メリットとデメリットに分けて記述されました。大変わかりやすい組み立ての小論文です。

　2つ目の段落、まずメリットの部分です。通信手段や情報手段の多様化で、聴覚障害者を含めた私たちの暮らしも変わりつつあります。今はアイドラゴン4や電話リレーサービス、そしてメールやLINEはもちろん、多くの人たちがX（旧ツイッター）、インスタグラムなどのSNSも使いこなすようになりました。一方デメリットについて、対面コミュニケーションの機会が減ることで理解が広がらないとして、その例に友人とのやりとりを挙げられました。「手話への理解」は広がりつつあるが、「聴覚障害の理解」はまだまだ広がっていないということでしょう。

　聞こえない人たちとの交流を深められ、どうぞ長く手話と活動に関わっていただきたいです。

▶解説

　「デジタル技術の広がりで聴覚障害者の暮らしはどう変わると思いますか。あなたの思いを自由に書いてください」。これが今回の小論文のテーマでした。現在はあらゆるといっていい工業製品にデジタル技術が使われています。どの側面から記述するか、難しかったかもしれません。

　そうしたなかで本稿では、「UDトーク」をキーワードに文字情報とデジタル技術の可能性、それでも対人コミュニケーションが大切なこと。なかでも視覚言語である手話がもつ魅力や奥深さを記述されたJさんの小論文。そして、デジタル技術のメリットとデメリットというわかりやすい形で考察し、デメリットの記述で手話を取り上げたテレビドラマを見た友人の反応から、「聴覚障害の理解」を広げることの大切さを記述されたKさんの、2つの小論文を掲載しました。

　他の小論文では、「UDトーク」の他に「電話リレーサービス」「遠隔手話通訳サービス」などを取り上げた記述が目立ちました。また東日本大震災などでの情報提供を考察した記述など、興味深い小論文も多くありました。

　折しも今年2024（令和6）年1月1日、令和6年能登半島地震が発生しました。半島という地理的な特性に加え、限られたアクセス道路が大きな被害を受けたことで、人的・物的な支援が容易に届けられない状況に陥りました。また高齢者の人口割合が高かったこと、古い木造家屋が多かったことなども災害の深刻さに拍車をかけることになりました。

　そんな状況で、ただでさえ少ない情報が、なお入りにくい聞こえない人たちの混乱と不安はいかばかりだったでしょう。せめて避難所などで「情報」と「通信」を迅速に届けられていれば、混乱と不安を和らげる一助になったでしょう。もちろん当時の状況では、そ

れより優先される事柄がずっと多かったこととは思います。それでも被災した人たち、特に情報弱者である聞こえない人たちへ情報と通信を提供する手段として、デジタル技術には大きな可能性があります。Kさんの講評でもふれていますが、アイドラゴン4や電話リレーサービスをはじめ、メールやLINE、また今では多くの人たちがX（旧ツイッター）やインスタグラムなどのSNSも使いこなしています。フェイク情報など注意すべき面もありますが、被災した聞こえない人たちへアナログな手段と併せて、情報と通信を効率的に提供する仕組みがあればと思います。

　発災後、地元の石川県聴覚障害者協会などの関係者が、いち早く現地に入りました。被災した聞こえない人たちには、仲間たちの支援がどれほど心強かったでしょう。今後も息の長い支援が必要です。

　そうしたなか、今もAIなどを含めた新しい技術が開発され、さらに豊かな可能性が広がろうとしています。それらが特に情報や通信にアクセスしにくい聞こえない人たちを含めて、私たちの暮らしへのよりよい形での還元が望まれます。

　通信について振り返れば、離れた場所への即時的な連絡手段が固定電話だけだった昭和の中頃までは、例えばろうあ協会の会議等の急な変更などの連絡は大変だったと聞きます。運転免許も認められておらず、今ほど手話や聞こえない人たちに対する理解が進んでいなかった時代の話です。余裕があれば郵便、急ぎなら電話や電報ですが、家族を含めた聞こえる人への遠慮や心的負担から電話をあきらめ、担当者が徒歩や自転車、場合によってはバスや列車などで関係者宅を回っていた時期があったということです。そうした時代も含め、ろうの先達たちや手話関係者が、たとえば運転免許取得や手話と聞こえない人たちへの理解を広げる運動を、営々と積みあげてきたことで今の時代があります。

　そうした人たちの地道な運動と活動に敬意を払い、私たちは今の時代にできる運動と活動を粛々と積み重ねていきましょう。

合格者の声

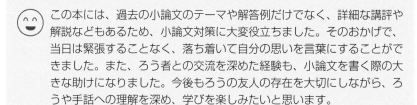 この本には、過去の小論文のテーマや解答例だけでなく、詳細な講評や解説などもあるため、小論文対策に大変役立ちました。そのおかげで、当日は緊張することなく、落ち着いて自分の思いを言葉にすることができました。また、ろう者との交流を深めた経験も、小論文を書く際の大きな助けになりました。今後もろうの友人の存在を大切にしながら、ろうや手話への理解を深め、学びを楽しみたいと思います。

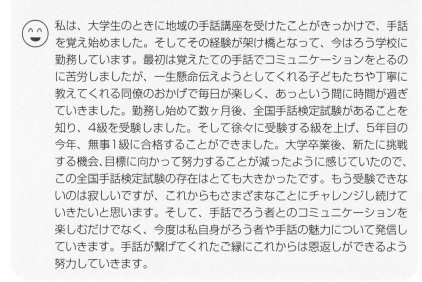 私は、大学生のときに地域の手話講座を受けたことがきっかけで、手話を覚え始めました。そしてその経験が架け橋となって、今はろう学校に勤務しています。最初は覚えたての手話でコミュニケーションをとるのに苦労しましたが、一生懸命伝えようとしてくれる子どもたちや丁寧に教えてくれる同僚のおかげで毎日が楽しく、あっという間に時間が過ぎていきました。勤務し始めて数ヶ月後、全国手話検定試験があることを知り、4級を受験しました。そして徐々に受験する級を上げ、5年目の今年、無事1級に合格することができました。大学卒業後、新たに挑戦する機会、目標に向かって努力することが減ったように感じていたので、この全国手話検定試験の存在はとても大きかったです。もう受験できないのは寂しいですが、これからもさまざまなことにチャレンジし続けていきたいと思います。そして、手話でろう者とのコミュニケーションを楽しむだけでなく、今度は私自身がろう者や手話の魅力について発信していきます。手話が繋げてくれたご縁にこれからは恩返しができるよう努力していきます。

解説の参考文献
- 手話奉仕員養成テキスト 手話を学ぼう 手話で話そう（社会福祉法人全国手話研修センター発行）
- 手話奉仕員養成のための講義テキスト（改訂版）―厚生労働省手話奉仕員養成カリキュラム対応（社会福祉法人全国手話研修センター発行）
- 改訂 よくわかる！ 手話の筆記試験対策テキスト（中央法規出版発行）
- これで合格！ 全国手話検定試験 DVD付き 全国手話検定試験解説集 バックナンバー（中央法規出版発行）
- 一般財団法人全日本ろうあ連盟（https://www.jfd.or.jp/（2024年1月4日参照））
- 国連広報センター「国際障害者年」（https://www.unic.or.jp/files/print_archive/pdf/world_conference/world_conference_9.pdf（2024年1月4日参照））
- 鳥取県「鳥取県手話言語条例」（https://www.pref.tottori.lg.jp/secure/845432/syuwa.pdf（2024年1月4日参照））
- 内閣府（https://www.cao.go.jp/（2024年1月4日参照））
- 法務省（https://www.moj.go.jp/（2024年1月4日参照））
- 文部科学省（https://www.mext.go.jp/（2024年1月4日参照））
- 厚生労働省（https://www.mhlw.go.jp/index.html（2024年1月4日参照））
- 全国保険医団体連合会「成人の軽度・中等度難聴者への補聴器購入費助成（2023年11月15日現在：未定稿、2024年1月9日一部訂正）」（https://hodanren.doc-net.or.jp/info/news/230615subsidy/（2024年1月12日参照））
- 全国高校生手話パフォーマンス甲子園（https://www.pref.tottori.lg.jp/koushien/（2024年1月12日参照））
- 芝大門クリニックホームページ（https://www.ne.jp/asahi/shiba-daimon-clinic/kubi-kata/karou/karou/karou7-1.html（2024年4月26日参照））

| 参考文献 | 手話イラストの書籍をご紹介します。 |

『わたしたちの手話　学習辞典Ⅰ』
○基本単語を中心に3,500語を収録！
○手話やろう者に関する豆知識入り！
○全国手話検定試験（第11回以降）の対応級を付記！
定価　本体2,600円（税別）　　A5判・2色刷・646頁
ISBN978-4-904639-12-2

『わたしたちの手話　学習辞典Ⅱ』
○『学習辞典』に掲載されていない用語から3,000語を選定！
○災害関連・ＩＴ関連用語が満載！
○労働・金融関連の専門語、カタカナ語も多数収録！
定価　本体2,600円（税別）　　A5判・2色刷・612頁
ISBN978-4-904639-09-2

『新　日本語－手話辞典』
○手話の会話例約10,000を収載した国内唯一の手話大辞典！
○時代を反映する新しい手話、用例を大幅に追加！
○手話イラスト名や日本語語彙からも引ける充実した索引！
定価　本体22,000円（税別）　　B5判・2色刷・1808頁
ISBN978-4-8058-3450-3

発行：一般財団法人全日本ろうあ連盟　　　〒162-0801 東京都新宿区山吹町130 SKビル8階
　　　　　　　　　　　　　　　　　　　　TEL03-3268-8847／FAX03-3267-3445
　　　　　　　　　　　　　　　　　　　　https://jfd.shop-pro.jp

出版物のご案内

※上記書籍は、全国の書店でもご購入いただけます。
　ご注文の際は各書籍の「ISBNコード」を書店にお伝えください。検索に大変便利です。

巻末資料

・5級～1級の解答用紙
・5級～準1級の基本単語一覧表

第18回 全国手話検定試験

5級 読み取り試験解答用紙

	会場コード	級	県コード	整理番号

受験番号

会場コード：ｱ ｻ ﾅ ﾏ ﾗ／ｲ ｼ ﾆ ﾐ ﾘ／ｳ ｽ ﾇ ﾑ ﾙ／ｴ ｾ ﾈ ﾒ ﾚ／ｵ ｿ ﾉ ﾓ ﾛ／ｶ ﾀ ﾊ ﾔ ﾜ／ｷ ﾁ ﾋ ﾝ ｦ／ｸ ﾂ ﾌ ﾕ／ｹ ﾃ ﾍ／ｺ ﾄ ﾎ ﾖ

級：5級 4級 3級 2級 準1級 1級（0〜0）

県コード・整理番号：0〜9

〈良いマーク例〉
〈悪いマーク例〉 短いはみだし／傾斜はみだし／形／うすい／数字の記入

※この用紙を折ったり曲げたりしないでください。
※鉛筆（ＨＢ）で濃く、はっきりとていねいにマークしてください。
※所定欄以外にはマークしたり、記入したりしないでください。
※正解は1問につき1つだけなので、同一問題の解答欄に2つ以上マークをしないでください。
※マークを修正する場合は、消しゴムであとの残らないようきれいに消してからマークしてください。
①会場コード・級・県コード・整理番号を記入し、その下のマーク欄にマークしてください。
②名前も記入してください。

名前

1．基本単語の読み取り

問題1	1 ありがとう／2 こんばんは／3 あいさつ／4 おやすみ
問題2	1 大切／2 全部／3 兄弟／4 対象
問題3	1 あげる／2 怒る／3 いる／4 選ぶ
問題4	1 忙しい／2 新しい／3 浅い／4 大きい
問題5	1 雨／2 世話する／3 おしゃべり／4 草
問題6	1 方法／2 安心／3 得意／4 質問
問題7	1 考える／2 行く／3 使う／4 作る
問題8	1 石／2 魚／3 花／4 木
問題9	1 18／2 36／3 72／4 96
問題10	1 コスモス／2 リンドウ／3 アサガオ／4 ヒマワリ
問題11	1 妹／2 次男／3 祖母／4 双子
問題12	1 難しい／2 大丈夫／3 けんか／4 心配する
問題13	1 バス／2 オートバイ／3 自転車／4 電車
問題14	1 久しぶり／2 はずかしい／3 泣く／4 忘れる
問題15	1 昨日／2 明日／3 上／4 いつ
問題16	1 紅茶／2 ミルク／3 ジュース／4 コーヒー
問題17	1 かまわない／2 わからない／3 なるほど／4 ほとんど
問題18	1 リンゴ／2 バナナ／3 ケーキ／4 ミカン
問題19	1 橋／2 建つ／3 椅子／4 道
問題20	1 集会／2 交流／3 仲間／4 練習
問題21	1 新聞／2 メール／3 紙／4 ポスター
問題22	1 思う／2 歌う／3 言う／4 売る
問題23	1 鳥／2 犬／3 猫／4 うさぎ
問題24	1 大人／2 子ども／3 赤ちゃん／4 生徒
問題25	1 スキー／2 水泳／3 相撲／4 卓球
問題26	1 食べる／2 歩く／3 疲れる／4 飲む
問題27	1 海／2 森／3 山／4 庭
問題28	1 メガネ／2 補聴器／3 カメラ／4 パソコン
問題29	1 強い／2 ゆっくり／3 まねる／4 早い
問題30	1 開ける／2 終わる／3 謝る／4 見る

2．短文の読み取り

問題1	名前は何ですか。	1 池田／2 石井／3 山本／4 吉川
問題2	家族は何人ですか。	1 3人／2 5人／3 6人／4 7人
問題3	家はどこの前にありますか。	1 ゴルフ場／2 高校／3 会社／4 保育所
問題4	仕事は何ですか。	1 酒屋／2 魚屋／3 ラーメン屋／4 花屋
問題5	何曜日に行きますか。	1 月曜日／2 火曜日／3 金曜日／4 土曜日
問題6	誕生日はいつですか。	1 1月20日／2 1月21日／3 4月20日／4 4月21日
問題7	得意なのは誰ですか。	1 夫／2 母／3 父／4 祖父
問題8	どこで教えていますか。	1 幼稚園／2 サークル／3 小学校／4 中学校
問題9	何級ですか。	1 一級／2 二級／3 三級／4 四級
問題10	映画はどうでしたか。	1 おもしろい／2 うらやましい／3 楽しい／4 悲しい

受験番号	会場コード					級	県コード	整理番号		
	⊏ア⊐ ⊏サ⊐ ⊏ナ⊐ ⊏マ⊐ ⊏ラ⊐					5級 ⊏5⊐	⊏0⊐ ⊏0⊐	⊏0⊐ ⊏0⊐ ⊏0⊐		
	⊏イ⊐ ⊏シ⊐ ⊏ニ⊐ ⊏ミ⊐ ⊏リ⊐					4級 ⊏4⊐	⊏1⊐ ⊏1⊐	⊏1⊐ ⊏1⊐ ⊏1⊐		
	⊏ウ⊐ ⊏ス⊐ ⊏ヌ⊐ ⊏ム⊐ ⊏ル⊐					3級 ⊏3⊐	⊏2⊐ ⊏2⊐	⊏2⊐ ⊏2⊐ ⊏2⊐		
	⊏エ⊐ ⊏セ⊐ ⊏ネ⊐ ⊏メ⊐ ⊏レ⊐					2級 ⊏2⊐	⊏3⊐ ⊏3⊐	⊏3⊐ ⊏3⊐ ⊏3⊐		
	⊏オ⊐ ⊏ソ⊐ ⊏ノ⊐ ⊏モ⊐ ⊏ロ⊐					準1級 ⊏1⊐	⊏4⊐ ⊏4⊐	⊏4⊐ ⊏4⊐ ⊏4⊐		
	⊏カ⊐ ⊏タ⊐ ⊏ハ⊐ ⊏ヤ⊐ ⊏ワ⊐					1級 ⊏0⊐	⊏5⊐ ⊏5⊐	⊏5⊐ ⊏5⊐ ⊏5⊐		
	⊏キ⊐ ⊏チ⊐ ⊏ヒ⊐ ⊏ ⊐ ⊏ヲ⊐						⊏6⊐ ⊏6⊐	⊏6⊐ ⊏6⊐ ⊏6⊐		
	⊏ク⊐ ⊏ツ⊐ ⊏フ⊐ ⊏ユ⊐ ⊏ ⊐						⊏7⊐ ⊏7⊐	⊏7⊐ ⊏7⊐ ⊏7⊐		
	⊏ケ⊐ ⊏テ⊐ ⊏ヘ⊐ ⊏ ⊐ ⊏ ⊐						⊏8⊐ ⊏8⊐	⊏8⊐ ⊏8⊐ ⊏8⊐		
	⊏コ⊐ ⊏ト⊐ ⊏ホ⊐ ⊏ヨ⊐ ⊏ ⊐						⊏9⊐ ⊏9⊐	⊏9⊐ ⊏9⊐ ⊏9⊐		

〈良いマーク例〉 ⊏----⊐ → ⊏===⊐

〈悪いマーク例〉 短い はみだし／傾斜 はみだし／形／うすい／数字の記入

名前

※この用紙を折ったり曲げたりしないでください。
※鉛筆（ＨＢ）で濃く、はっきりとていねいにマークしてください。
※所定欄以外にはマークしたり、記入したりしないでください。
※正解は1問につき1つだけなので、同一問題の解答欄に2つ以上マークをしないでください。
※マークを修正する場合は、消しゴムであとの残らないようきれいに消してからマークしてください。
①会場コード・級・県コード・整理番号を記入し、その下のマーク欄にマークしてください。
②名前も記入してください。

1．基本単語の読み取り

問題1	1	⊏---⊐	寺	問題11	1	⊏---⊐	バラ	問題21	1	⊏---⊐	スパゲッティ
	2	⊏---⊐	神社		2	⊏---⊐	ひまわり		2	⊏---⊐	お好み焼き
	3	⊏---⊐	ホテル		3	⊏---⊐	チューリップ		3	⊏---⊐	ソフトクリーム
	4	⊏---⊐	郵便局		4	⊏---⊐	紅葉		4	⊏---⊐	カレー
問題2	1	⊏---⊐	ワゴン車	問題12	1	⊏---⊐	牛	問題22	1	⊏---⊐	ボウリング
	2	⊏---⊐	地下鉄		2	⊏---⊐	カニ		2	⊏---⊐	ダンス
	3	⊏---⊐	トラック		3	⊏---⊐	海老		3	⊏---⊐	サーフィン
	4	⊏---⊐	モノレール		4	⊏---⊐	亀		4	⊏---⊐	スノーボード
問題3	1	⊏---⊐	徹夜	問題13	1	⊏---⊐	トレーニングシャツ	問題23	1	⊏---⊐	食べ放題
	2	⊏---⊐	印象		2	⊏---⊐	Tシャツ		2	⊏---⊐	会計
	3	⊏---⊐	行事		3	⊏---⊐	ネクタイ		3	⊏---⊐	食費
	4	⊏---⊐	中止		4	⊏---⊐	マフラー		4	⊏---⊐	ディナー
問題4	1	⊏---⊐	入学	問題14	1	⊏---⊐	家具	問題24	1	⊏---⊐	一時間
	2	⊏---⊐	入社		2	⊏---⊐	布団		2	⊏---⊐	一日
	3	⊏---⊐	発表		3	⊏---⊐	鏡		3	⊏---⊐	一ヶ月
	4	⊏---⊐	通院		4	⊏---⊐	風呂		4	⊏---⊐	一年間
問題5	1	⊏---⊐	星	問題15	1	⊏---⊐	ミシン	問題25	1	⊏---⊐	案内
	2	⊏---⊐	虫		2	⊏---⊐	ビデオカメラ		2	⊏---⊐	板
	3	⊏---⊐	ホタル		3	⊏---⊐	電子レンジ		3	⊏---⊐	交通
	4	⊏---⊐	光る		4	⊏---⊐	リモコン		4	⊏---⊐	手袋
問題6	1	⊏---⊐	レインコート	問題16	1	⊏---⊐	湖	問題26	1	⊏---⊐	ポスト
	2	⊏---⊐	服		2	⊏---⊐	海岸		2	⊏---⊐	扉
	3	⊏---⊐	セーター		3	⊏---⊐	船		3	⊏---⊐	冷蔵庫
	4	⊏---⊐	帽子		4	⊏---⊐	沼		4	⊏---⊐	机
問題7	1	⊏---⊐	羊	問題17	1	⊏---⊐	下駄	問題27	1	⊏---⊐	着替える
	2	⊏---⊐	イカ		2	⊏---⊐	カバン		2	⊏---⊐	座る
	3	⊏---⊐	リス		3	⊏---⊐	スカーフ		3	⊏---⊐	すっぽかす
	4	⊏---⊐	熊		4	⊏---⊐	靴		4	⊏---⊐	捨てる
問題8	1	⊏---⊐	占い	問題18	1	⊏---⊐	イノシシ	問題28	1	⊏---⊐	割引する
	2	⊏---⊐	空		2	⊏---⊐	馬		2	⊏---⊐	平均する
	3	⊏---⊐	ちり紙		3	⊏---⊐	トラ		3	⊏---⊐	なぜ
	4	⊏---⊐	たこ		4	⊏---⊐	竜		4	⊏---⊐	編み物
問題9	1	⊏---⊐	町内会	問題19	1	⊏---⊐	不要	問題29	1	⊏---⊐	病院
	2	⊏---⊐	年内		2	⊏---⊐	優しい		2	⊏---⊐	寝ぼう
	3	⊏---⊐	部屋		3	⊏---⊐	もっと		3	⊏---⊐	花見
	4	⊏---⊐	日帰り		4	⊏---⊐	消防		4	⊏---⊐	美容
問題10	1	⊏---⊐	岐阜	問題20	1	⊏---⊐	民宿	問題30	1	⊏---⊐	育てる
	2	⊏---⊐	埼玉		2	⊏---⊐	役所		2	⊏---⊐	閉める
	3	⊏---⊐	香川		3	⊏---⊐	商店		3	⊏---⊐	編む
	4	⊏---⊐	長崎		4	⊏---⊐	職場		4	⊏---⊐	止める

2．短文の読み取り

問題1	塾は何時から何時までですか。	1	⊏---⊐	4時から6時
		2	⊏---⊐	6時から8時
		3	⊏---⊐	7時から9時
		4	⊏---⊐	9時から11時
問題2	どこでランニングしていますか。	1	⊏---⊐	港
		2	⊏---⊐	峠
		3	⊏---⊐	公園
		4	⊏---⊐	浜辺
問題3	熊本へ行くのはいつですか。	1	⊏---⊐	お正月
		2	⊏---⊐	来週
		3	⊏---⊐	年末
		4	⊏---⊐	来年
問題4	両親へプレゼントするのはなぜですか。	1	⊏---⊐	退院
		2	⊏---⊐	パーティ
		3	⊏---⊐	卒業記念
		4	⊏---⊐	結婚50周年
問題5	いつまで降りますか。	1	⊏---⊐	3日間
		2	⊏---⊐	1週間
		3	⊏---⊐	2週間
		4	⊏---⊐	2日間
問題6	父はどこで暮らしていますか。	1	⊏---⊐	茨城
		2	⊏---⊐	奈良
		3	⊏---⊐	広島
		4	⊏---⊐	佐賀
問題7	思い出の場所はどこですか。	1	⊏---⊐	温泉
		2	⊏---⊐	遊園地
		3	⊏---⊐	カラオケ
		4	⊏---⊐	レストラン
問題8	子どもはどんな様子でしたか。	1	⊏---⊐	苦労している
		2	⊏---⊐	泣いている
		3	⊏---⊐	笑っている
		4	⊏---⊐	一生懸命
問題9	下を見るとどうなりますか。	1	⊏---⊐	不安
		2	⊏---⊐	悲しい
		3	⊏---⊐	うれしい
		4	⊏---⊐	ドキドキ
問題10	一番きれいになったのはどこですか。	1	⊏---⊐	台所
		2	⊏---⊐	床
		3	⊏---⊐	畳
		4	⊏---⊐	玄関

第18回 全国手話検定試験

会場コード		級	県コード		整理番号		

受験番号

3 級　読み取り試験解答用紙

名前

※この用紙を折ったり曲げたりしないでください。
※鉛筆（HB）で濃く、はっきりとていねいにマークしてください。
※所定欄以外にはマークしたり、記入したりしないでください。
※正解は1問につき1つだけなので、同一問題の解答欄に2つ以上マークをしないでください。
※マークを修正する場合は、消しゴムであとの残らないようきれいに消してからマークしてください。
①会場コード・級・県コード・整理番号を記入し、その下のマーク欄にマークしてください。
②名前も記入してください。

〈良いマーク例〉
〈悪いマーク例〉　短い はみだし／傾斜 はみだし／形／うすい／数字の記入

1．基本単語の読み取り

問題1		問題2		問題3		問題4	
1 チョコレート	1 うるさい	1 熱い	1 混ぜる
2 クッキー	2 かっこいい	2 痛い	2 超える
3 まんじゅう	3 賢い	3 落ちる	3 代える
4 プリン	4 すごい	4 固い	4 進む

問題5	問題6	問題7	問題8
1 鼻	1 四国	1 校長	1 機関誌
2 口	2 九州	2 監督	2 教科書
3 まゆげ	3 関東	3 選手	3 地図
4 ほお	4 関西	4 保護者	4 漫画

問題9	問題10
1 パーセント	1 センター
2 メートル	2 体育館
3 グラム	3 事務所
4 センチメートル	4 コンビニ

問題11	問題12	問題13	問題14
1 出席する	1 ケチャップ	1 少女	1 決める
2 叱る	2 みそ	2 助手	2 守る
3 指示する	3 酢	3 客	3 倒れる
4 操作する	4 マヨネーズ	4 少年	4 外れる

問題15	問題16	問題17	問題18
1 小豆	1 腰	1 飛行機	1 アヒル
2 納豆	2 背中	2 パトカー	2 トンボ
3 枝豆	3 肩	3 消防車	3 カエル
4 大豆	4 首	4 救急車	4 チョウ

問題19	問題20
1 人形	1 におい
2 ロボット	2 すっぱい
3 人間	3 にがい
4 盲導犬	4 しょっぱい

2．短文の読み取り

問題 1

(1) 見に行ったのは何ですか。	1 授業
	2 試合
	3 学芸会
	4 運動会

(2) 感激したのは何ですか。	1 劇とダンス
	2 劇と合唱
	3 作文と合唱
	4 授業参観

問題 2

(1) なぜ心配ですか。	1 水不足
	2 電力不足
	3 食物不足
	4 勉強不足

(2) 少しの暑さならどうしますか。	1 腹が立つ
	2 我慢する
	3 落ち着く
	4 泣く

問題 3

(1) 事故が多いのはどこですか。	1 山道
	2 T字路
	3 停留所
	4 横断歩道

(2) 厳しいのは誰ですか。	1 父
	2 母
	3 先生
	4 警察官

問題 4

(1) どこに転居しましたか。	1 札幌
	2 浜松
	3 堺
	4 北九州

(2) 釣れないのは何ですか。	1 うなぎ
	2 まぐろ
	3 貝
	4 たい

問題 5

(1) 何のボランティアグループですか。	1 手話
	2 専門学校
	3 スポーツ
	4 マジック

(2) 新年会はどうでしたか。	1 成功
	2 楽しい
	3 にぎやか
	4 はずかしい

問題 6

(1) なぜ通院しているのですか。	1 虫歯
	2 腹痛
	3 栄養指導
	4 腎臓の病気

(2) 気をつけることは何ですか。	1 食べすぎ
	2 飲みすぎ
	3 糖分の取りすぎ
	4 塩分の取りすぎ

問題 7

(1) 誰のことですか。	1 友達
	2 姉
	3 妹
	4 妻

(2) 毎月1回どこに行きますか。	1 小学校
	2 公民館
	3 サークル
	4 図書館

(3) 興味があるのはパンと何ですか。	1 運動
	2 料理
	3 お菓子作り
	4 アイスクリーム

第18回 全国手話検定試験

| 2 級 | 読み取り試験解答用紙(1) |

受験番号

⊏アϽ ⊏サϽ ⊏ナϽ ⊏マϽ ⊏ラϽ	5級 ⊏5Ͻ	⊏0Ͻ ⊏0Ͻ	⊏0Ͻ ⊏0Ͻ ⊏0Ͻ	
⊏イϽ ⊏シϽ ⊏ニϽ ⊏ミϽ ⊏リϽ	4級 ⊏4Ͻ	⊏1Ͻ ⊏1Ͻ	⊏1Ͻ ⊏1Ͻ ⊏1Ͻ	
⊏ウϽ ⊏スϽ ⊏ヌϽ ⊏ムϽ ⊏ルϽ	3級 ⊏3Ͻ	⊏2Ͻ ⊏2Ͻ	⊏2Ͻ ⊏2Ͻ ⊏2Ͻ	
⊏エϽ ⊏セϽ ⊏ネϽ ⊏メϽ ⊏レϽ	2級 ⊏2Ͻ	⊏3Ͻ ⊏3Ͻ	⊏3Ͻ ⊏3Ͻ ⊏3Ͻ	
⊏オϽ ⊏ソϽ ⊏ノϽ ⊏モϽ ⊏ロϽ	準1級 ⊏1Ͻ	⊏4Ͻ ⊏4Ͻ	⊏4Ͻ ⊏4Ͻ ⊏4Ͻ	
⊏カϽ ⊏タϽ ⊏ハϽ ⊏ヤϽ ⊏ワϽ	1級 ⊏0Ͻ	⊏5Ͻ ⊏5Ͻ	⊏5Ͻ ⊏5Ͻ ⊏5Ͻ	
⊏キϽ ⊏チϽ ⊏ヒϽ ⊏ Ͻ ⊏ヲϽ		⊏6Ͻ ⊏6Ͻ	⊏6Ͻ ⊏6Ͻ ⊏6Ͻ	
⊏クϽ ⊏ツϽ ⊏フϽ ⊏ユϽ ⊏ Ͻ		⊏7Ͻ ⊏7Ͻ	⊏7Ͻ ⊏7Ͻ ⊏7Ͻ	
⊏ケϽ ⊏テϽ ⊏ヘϽ ⊏ Ͻ ⊏ Ͻ		⊏8Ͻ ⊏8Ͻ	⊏8Ͻ ⊏8Ͻ ⊏8Ͻ	
⊏コϽ ⊏トϽ ⊏ホϽ ⊏ヨϽ ⊏ Ͻ		⊏9Ͻ ⊏9Ͻ	⊏9Ͻ ⊏9Ͻ ⊏9Ͻ	

| 名 前 | |

※この用紙を折ったり曲げたりしないでください。
※鉛筆（ＨＢ）で濃く、はっきりとていねいにマークしてください。
※所定欄以外にはマークしたり、記入したりしないでください。
※正解は1問につき1つだけなので、同一問題の解答欄に2つ以上マークをしないでください。
※マークを修正する場合は、消しゴムであとの残らないようきれいに消してからマークしてください。
①会場コード・級・県コード・整理番号を記入し、その下のマーク欄にマークしてください。
②名前も記入してください。

〈良いマーク例〉 ⊏·····Ͻ → ⊏—Ͻ
〈悪いマーク例〉 短い 傾斜 形 うすい 数字の
はみだし はみだし 記入

1.基本単語の読み取り

問題1	1	濡れる	問題2	1	エネルギー	問題3	1	タカ	問題4	1	デザート
	2	相変わらず		2	サロン		2	ワシ		2	エリート
	3	対応		3	カロリー		3	クラゲ		3	単位
	4	いよいよ		4	Eメール		4	コウモリ		4	迷子
問題5	1	手術	問題6	1	主任	問題7	1	私立	問題8	1	勇気
	2	外科		2	係長		2	個性		2	気が合う
	3	寝不足		3	議長		3	私用		3	短気
	4	眼科		4	会長		4	個人		4	気長

2.ストーリーの読み取り

ストーリー1	問題1	私の仕事は何ですか。	1		保育士
			2		ホームヘルパー
			3		介護福祉士
			4		看護師
	問題2	何歳児を担当していますか。	1		2歳児
			2		3歳児
			3		4歳児
			4		5歳児
	問題3	どんな子どもになってほしいと思っていますか。	1		想像力豊かな子
			2		だれにでも優しい子
			3		明るく元気な子
			4		両親を大切にする子
ストーリー2	問題1	手話サークル会員はどのような年齢層ですか。	1		16歳から65歳
			2		18歳から82歳
			3		19歳から72歳
			4		60歳から99歳
	問題2	活動の場所はどこですか。	1		公民館
			2		福祉センター
			3		スポーツ会館
			4		居酒屋
	問題3	サークルの何を見直したいと言っていますか。	1		会費
			2		規約
			3		活動日
			4		学習の方法
ストーリー3	問題1	仕事をしている部署はどこですか。	1		経理課
			2		営業課
			3		総務課
			4		管理課
	問題2	ダイエットを始めた理由は何と言っていますか。	1		片思いの彼に好かれたいから
			2		太り過ぎていたから
			3		痩せないと病気になると言われたから
			4		ダイエットブームだから
	問題3	仕事中に倒れたのはなぜですか。	1		だるい
			2		目まい
			3		空腹
			4		脳梗塞

<table>
<tr><td rowspan="2">受験番号</td><td colspan="6">会場コード</td><td>級</td><td>県コード</td><td colspan="3">整理番号</td></tr>
</table>

		会場コード					級	県コード	整理番号		

2 級 読み取り試験解答用紙(2)

名前

※この用紙（2枚目）にも必ず、
①会場コード・級・県コード・整理番号を記入し、その下のマーク欄にマークしてください。
②名前も記入してください。

受験番号マーク欄：
ｱ ｻ ﾅ ﾏ ﾗ ／ 5級 ［5］ ／ ［0］ ／ ［0］ ［0］ ［0］
ｲ ｼ ﾆ ﾐ ﾘ ／ 4級 ［4］ ／ ［1］ ／ ［1］ ［1］ ［1］
ｳ ｽ ﾇ ﾑ ﾙ ／ 3級 ［3］ ／ ［2］ ／ ［2］ ［2］ ［2］
ｴ ｾ ﾈ ﾒ ﾚ ／ 2級 ［2］ ／ ［3］ ／ ［3］ ［3］ ［3］
ｵ ｿ ﾉ ﾓ ﾛ ／ 準1級 ［1］ ／ ［4］ ／ ［4］ ［4］ ［4］
ｶ ﾀ ﾊ ﾔ ﾜ ／ 1級 ［0］ ／ ［5］ ／ ［5］ ［5］ ［5］
ｷ ﾁ ﾋ ｦ ／ ／ ／ ／ ［6］ ／ ［6］ ［6］ ［6］
ｸ ﾂ ﾌ ﾕ ／ ／ ／ ／ ［7］ ／ ［7］ ［7］ ［7］
ｹ ﾃ ﾍ ／ ／ ／ ／ ／ ［8］ ／ ［8］ ［8］ ［8］
ｺ ﾄ ﾎ ﾖ ／ ／ ／ ／ ［9］ ／ ［9］ ［9］ ［9］

ストーリー4	問題1	どんなニュースを見て悲しくなったと言っていますか。	1	交通事故で大切な家族を亡くす
			2	高齢者の一人暮らし
			3	自然災害で大切な家族を亡くす
			4	高齢者への詐欺事件
	問題2	どんな状況が嫌いと言っていますか。	1	人混みが嫌い
			2	人が少なくて寂しい場所は嫌い
			3	車の渋滞が嫌い
			4	雨天が続くのが嫌い
	問題3	草むしりや読書をしてどうだったと言っていますか。	1	慌ただしかった
			2	のんびり過ごした
			3	腰が痛くなった
			4	旅行に行きたくなった
ストーリー5	問題1	40歳までしていたスポーツは何と言っていますか。	1	テニス
			2	バレーボール
			3	バスケットボール
			4	バドミントン
	問題2	スポーツをやらなくなった理由は何と言っていますか。	1	三日坊主の性格だから
			2	ほかの趣味で忙しくなったから
			3	家の用事で忙しくなったから
			4	仕事や聴覚障害者協会の活動で忙しくなったから
	問題3	今回は楽しみと言っている理由は何ですか。	1	自分1人で参加できるから
			2	運動不足が解消できるから
			3	今までやったことがないスポーツだから
			4	手話ができる友人と一緒だから
ストーリー6	問題1	孫は小学校の何年生ですか。	1	1年生
			2	2年生
			3	3年生
			4	4年生
	問題2	孫の様子を見るよう頼まれたのはどうしてですか。	1	学校が振替休日だから
			2	親が仕事だから
			3	孫が病気になったから
			4	学級が休みになったから
	問題3	孫の様子を見て驚いたのはどんなことですか。	1	ゲームをずっとしていた
			2	テレビをずっと見ていた
			3	インターネットで勉強をしていた
			4	漫画をずっと読んでいた
ストーリー7	問題1	とくに値上がりして困っていると言っているのは何ですか。	1	家賃
			2	食費
			3	衣料品代
			4	電気代
	問題2	どんなエアコンを買いましたか。	1	自動で掃除ができる
			2	電気を節約できる
			3	自動運転機能がある
			4	空気清浄機能がある
	問題3	エアコンの使い方で注意していると言っていることは何ですか。	1	使う時間を短くする
			2	28度に設定している
			3	つけっぱなしにしている
			4	使う時間を決めている

2級　筆記試験問題

受験番号	会場コード（カタカナ）	級	県コード	整理番号
		2		

名前

筆記試験問題

得　点

(1)から(25)までの設問について、それぞれ下の□□から適切なものを選んで、数字で答えなさい。

解答欄

(1)　手話は聴覚障害者にとって重要な言語でありコミュニケーション手段ですが、手話のわからない難聴者にとって効果的な情報提供の手段はどれですか。

　　1．触手話　　2．要約筆記　　3．点字通訳　　4．指文字

問(1)

(2)　聴覚障害者とのコミュニケーションについての記述で適切なものはどれですか。

　　1．話し手の表情や口元が見える位置や顔の向きを考えて話すのが良い
　　2．筆談は簡単な文章が良いので、漢字は使わずひらがなで書くのが良い
　　3．空書は分かりやすいので、多用するほうが良い
　　4．手話を使うときは、口形は全くつけないほうが良い

問(2)

(3)　日本語の五十音に合わせた指文字のうち、アメリカの指文字を参考に作られたものはどれですか。

　　1．「こ」　　2．「く」　　3．「せ」　　4．「ら」

問(3)

(4)　手話に関する記述について、正しくないものはどれですか。

　　1．手話には文法がある　　　　　2．手話はどの国も同じである
　　3．手話は伝承することができる　　4．手話には方言がある

問(4)

(5)　聴覚障害者に多い感音性難聴の特徴として正しくないものはどれですか。

　　1．補聴器を使用すると音の聞き分けが良くなる
　　2．大きい音がうるさく聞こえる
　　3．小さい音が聞こえない
　　4．話し言葉の弁別がしにくい

問(5)

(6)　全日本ろうあ連盟は、日本障害フォーラム（JDF）という団体とともに、ある条約の批准に取り組みました。その条約とは何ですか。

　　1．障害者差別撤廃条約　　2．こどもの権利条約
　　3．障害者権利条約　　　　4．女性差別撤廃条約

問(6)

(7)　ピア・カウンセリングとは何ですか。

　　1．いつも同じ人が継続的なミーティングの中で、語り合いをするカウンセリング
　　2．夫婦の間の問題解決のために二人で受けるカウンセリング
　　3．同じ立場や障害を持っている人同士で行うカウンセリング
　　4．日ごろ悩んでいる、家庭のこと・仕事のこと・病気のことなどについてメールで受けるカウンセリング

問(7)

(8) 手話協力員は、聴覚障害者の雇用を促進するために公共職業安定所（ハローワーク）に配置されていますが、管轄する省庁はどこですか。

問(8)

　　１．総務省　　２．文部科学省　　３．厚生労働省　　４．国土交通省

(9) 障害者福祉の動向を見ると、国際的にも国内においても1981（昭和56）年の国際障害者年が大きなきっかけとなって進展していきます。この国際障害者年のテーマは何ですか。

問(9)

　　１．出会い、ふれあい、心の輪
　　２．壁を取り払い、扉を開こう：すべての人々が参加できる社会のために
　　３．わたしたち抜きで私たちのことを決めるな
　　４．完全参加と平等

(10) 手話通訳者の専門性が十分に理解されないために労働条件が整わず、過度の労働等で通訳者の健康問題もおきています。この手話通訳者の代表的な健康障害は何ですか。

問(10)

　　１．高次脳機能障害　　　２．頸肩腕障害　　　３．言語障害　　　４．肝機能障害

(11) ４年に１度、夏季大会と冬季大会がそれぞれ開催される聴覚障害者のための国際総合競技大会とは何ですか。

問(11)

　　１．デフリンピック　　　２．パラリンピック
　　３．オリンピック　　　　４．アビリンピック

(12) 2013（平成25）年に、日本初の手話言語条例を制定し、毎年「全国高校生手話パフォーマンス甲子園」を開催している都道府県はどこですか。

問(12)

　　１．北海道　　２．神奈川県　　３．鳥取県　　４．福岡県

(13) 字幕付き映像ライブラリー制作・貸し出し等の情報提供サービスや、手話通訳派遣等のコミュニケーション支援機能を持たせた、身体障害者福祉法に定められた施設の名称は何ですか。

問(13)

　　１．聴覚言語障害センター　　　　２．聴覚障害者情報センター
　　３．聴覚障害者情報提供施設　　　４．聴覚障害者手話通訳派遣センター

(14) 障害者基本法に基づき、国民に障害者の福祉についての関心と理解を深めることを目的として、毎年12月３日から９日まで実施されているのは何ですか。

問(14)

　　１．人権週間　　２．教育週間　　３．福祉週間　　４．障害者週間

(15) 障害者の雇用の促進等に関する法律において、一定の従業員数がいる事業所は法律で決められた割合以上の障害者を雇用する必要があります。その割合を何と言いますか。

問(15)

　　１．義務雇用率　　２．法定雇用率　　３．目標雇用率　　４．最低雇用率

(16) 指文字についての記述のうち、正しいものはどれですか。

問(16)

　　１．手話の語彙の一部になることがある
　　２．おもにカタカナで書かれることばを表現するためのものである
　　３．指文字は年々改良されている
　　４．五十音に対応しているが、「が」などの濁音は表現できない

2級　筆記試験問題

受験番号	会場コード（カタカナ）	級	県コード	整理番号
		2		
名前				

筆記試験問題

⑰　手話で表現した場合、手の形と位置は同じだが、手の動きだけが異なっている語の組み合わせはどれですか。　**問⒄**

　　1．「経済」と「商売」　　2．「遊び」と「会社」
　　3．「姉」と「弟」　　　　4．「考える」と「私」

⑱　都道府県の手話で、名所から作られたものはどれですか。　**問⒅**

　　1．香川　　2．広島　　3．長野　　4．秋田

⑲　次の語のうちで、一つだけ両手をつかわない手話表現があります。それはどれですか。　**問⒆**

　　1．気温　　2．プライバシー　　3．オーバー　　4．詳細

⑳　次のことばを手話で表したとき、両手の形が異なるものはどれですか。　**問⒇**

　　1．生きる　　2．訓練　　3．基準　　4．材料

㉑　手話表現したとき、漢字の字形を表現していないものはどれですか。　**問㉑**

　　1．災害　　2．非　　3．北陸　　4．虹

㉒　耳で聞く音は空気の振動によって伝わります。次の中で「音の三要素」ではないものはどれですか。　**問㉒**

　　1．音の大きさ　　2．音の長さ　　3．音の高さ　　4．音色

㉓　手話が言語であることについて、「言語（手話を含む）。」と、条文の一節に規定した法律は何ですか。　**問㉓**

　　1．障害者基本法　　　　2．障害者差別解消法
　　3．障害者総合支援法　　4．障害者自立支援法

㉔　聴覚障害者のために認定ＮＰＯ法人障害者放送通信機構が提供している手話と字幕付きで視聴できる番組は何ですか。　**問㉔**

　　1．目で見るテレビ　　2．目で聴くテレビ
　　3．耳で見るテレビ　　4．耳で聴くテレビ

⑵⑸　障害の「社会的障壁」について「障害がある者にとって日常生活または社会生活を営む上で障壁となるような社会における事物、制度、慣行、観念、その他の一切のものをいう」と定義づけている。これはどんな視点を取り入れたものですか。

<table>
<tr><td>問⑵⑸</td></tr>
<tr><td></td></tr>
</table>

1．バリアフリー	2．社会モデル
3．インクルージョン	4．リハビリテーション

準1級　読み取り試験解答用紙(1)

<table>
<tr><th rowspan="2">受験番号</th><th colspan="4">会場コード</th><th>級</th><th>県コード</th><th colspan="3">整理番号</th></tr>
</table>

	会場コード				級	県コード	整理番号		

名　前

※この用紙を折ったり曲げたりしないでください。
※鉛筆（ＨＢ）で濃く、はっきりとていねいにマークしてください。
※所定欄以外にはマークしたり、記入したりしないでください。
※正解は１問につき１つだけなので、同一問題の解答欄に２つ以上マークをしないでください。
※マークを修正する場合は、消しゴムであとの残らないようきれいに消してからマークしてください。
①会場コード・級・県コード・整理番号を記入し、その下のマーク欄にマークしてください。
②名前も記入してください。

〈良いマーク例〉
〈悪いマーク例〉　短い　傾斜　形　うすい　数字の
　　　　　　　　はみだし　はみだし　　　　記入

受験番号マーク欄：ア イ ウ エ オ カ キ ク ケ コ／サ シ ス セ ソ タ チ ツ テ ト／ナ ニ ヌ ネ ノ ハ ヒ フ ヘ ホ／マ ミ ム メ モ ヤ ヰ ユ ヱ ヨ／ラ リ ル レ ロ ワ ヲ
級：5級 4級 3級 2級 準1級 1級
県コード・整理番号：0〜9

1. 基本単語の読み取り

問題1			問題2			問題3			問題4		
1		オホーツク	1		タブー	1		比率	1		人間ドック
2		アフリカ	2		タイミング	2		永遠	2		キャッシュカード
3		カナダ	3		遠回し	3		騙す	3		ATM
4		スペイン	4		矛盾	4		騙される	4		ユーロ

問題5			問題6			問題7			問題8		
1		オーストリア	1		名誉	1		公共	1		車検
2		エンジン	2		代理	2		公開	2		検事
3		規則	3		科学	3		公害	3		管理
4		憲法	4		機能	4		公認	4		電報

2. ストーリーの読み取り

ストーリー1	問題1	私が旅する方法は何だと言っていますか。	1		図書館の本を読む
			2		旅行の体験談を聞く
			3		映画を見る
			4		テレビの旅番組を見る
	問題2	この旅する方法は何が不要だと言っていますか。	1		観光パンフレット
			2		ツアーガイド
			3		パスポート
			4		交通費
	問題3	明日はどこへ旅したいと言っていますか。	1		ソウル
			2		ハワイ
			3		ベトナム
			4		フィンランド
ストーリー2	問題1	国会をテレビで見てがっかりしたのはなぜですか。	1		居眠りしている議員がいるから
			2		官僚の作った答弁書を読んでいるから
			3		スマホでゲームをしている議員がいるから
			4		大臣へのお世辞が多いから
	問題2	何について充実してほしいと言っていますか。	1		学費の無料化
			2		防衛費
			3		コロナ対策
			4		こども政策
	問題3	早期実現を期待しているのは何ですか。	1		難聴児の施策に関する法
			2		手話言語法
			3		障害者雇用法
			4		憲法の改正法案
ストーリー3	問題1	どんな話題が増えましたか。	1		趣味のサークル活動
			2		年金
			3		健康や病気
			4		地域のボランティア活動
	問題2	どんなことが不安ですか。	1		できなくなることが増えてくる
			2		蓄えが減ってくる
			3		付き合いが減っていく
			4		手話通訳の依頼が増えていく
	問題3	どんな心構えが大切だと言っていますか。	1		蓄えを減らさないようにする
			2		付き合いを積極的にする
			3		できることがあると考える
			4		終活して覚悟を持っておく

第18回 全国手話検定試験

準1級 読み取り試験解答用紙(2)

名 前

ストーリー					
4	問題1	どんなアニメ映画を見ますか。	1		息子が見たい映画
			2		シリーズもののアニメ映画
			3		大冒険のアニメ映画
			4		有名な物語のアニメ映画
	問題2	最近のアニメ映画のつくり方についてどう言っていますか。	1		動きが激しく音も大きいつくり方
			2		ファンタジー的なつくり方
			3		派手だけど繊細なつくり方
			4		リアルなつくり方
	問題3	残念なことは何だと言っていますか。	1		字幕上映期間に行けない
			2		字幕が小さい
			3		手話がついていない
			4		映画館に手話のできる人がいない
5	問題1	何の疑いがあると診断されましたか。	1		脳梗塞
			2		胃潰瘍
			3		心臓病
			4		肺結核
	問題2	病気であることがわかった理由は何と言っていますか。	1		先輩医師が言ったから
			2		担当医師が猛勉強したから
			3		二人の医師で再確認したから
			4		これまでの資料を参考にしたから
	問題3	何に対して疑問を感じたと言っていますか。	1		今の医学
			2		今の薬
			3		今の治療方法
			4		今の担当医
6	問題1	収集日は、水曜日と何曜日と言っていますか。	1		木曜日と土曜日
			2		金曜日と土曜日
			3		土曜日と日曜日
			4		金曜日と日曜日
	問題2	資源ゴミとして、鉄、アルミニウムのほかに何があると言っていますか。	1		銅
			2		プラスチック
			3		亜鉛
			4		銀
	問題3	鉄やアルミニウムはどのように処理すると言っていますか。	1		廃棄
			2		リフォーム
			3		リユース
			4		リサイクル
7	問題1	何の使い方についての研修がありましたか。	1		ATM
			2		AED
			3		カメラ
			4		ソロバン
	問題2	私はどんな性格だと言っていますか。	1		勝ち気な性格
			2		優しい性格
			3		内気な性格
			4		ずぼらな性格
	問題3	何を反省していると言っていますか。	1		怠けたこと
			2		積極的に参加したこと
			3		お酒を飲み過ぎたこと
			4		手話が上手ではないこと

準1級　筆記試験問題

受験番号	会場コード（カタカナ）	級	県コード	整理番号
		1		

名前

筆記試験問題

(1)から(8)までの設問について、それぞれの文の（　）に入ることばを下の□から選んで、数字で答えなさい。

得　点

(1) （　ア　）難聴の場合は、音を（　イ　）に伝える部分の障害のため音が小さくなってしまいますが、（　イ　）に異常がない場合は、（　ウ　）で十分に大きな音に増幅すれば聞き取りは改善されます。（　ウ　）の装用効果がかなり（　エ　）といえます。

1．中耳	2．内耳	3．外耳	4．補聴器
5．集音器	6．低い	7．高い	8．伝音性
9．感音性	10．突発性		

解答欄

問　(1)

ア	
イ	
ウ	
エ	

(2) 日本では、1878（明治11）年、京都に（　ア　）が設立されました。手話はろう児の集団形成とともに、（　イ　）を通じて形成され、ろう者の集団の中で発展したものと考えられます。この時代は、聞こえないという障害ゆえの（　ウ　）や社会的偏見がありました。

1．盲啞院	2．ろうあ協会	3．歴史
4．手話サークル	5．平等	6．教育
7．差別	8．自然	

問　(2)

ア	
イ	
ウ	

(3) 2022（令和4）年5月に（通称）障害者情報アクセシビリティ・コミュニケーション施策推進法が施行されました。この法律は、全ての障害者があらゆる分野の（　ア　）に参加するためには、情報の十分な取得利用や（　イ　）意思疎通が極めて重要であることから、障害者による情報の取得利用・意思疎通に係る施策を総合的に推進し、（　ウ　）の実現に資するために制定されました。

1．仕事	2．集会	3．活動
4．円滑な	5．一定の	6．お互いの
7．共存社会	8．共生社会	

問　(3)

ア	
イ	
ウ	

(4) 手話の「夜」と「〜なる」では（　ア　）が異なり、「思う」と「心」では（　イ　）が異なります。また「裁判」と「人事異動」では（　ウ　）が異なります。このような例から、手話という言語は一定の要素が複雑に組み合わさって構成されているといえます。

1．手指の位置	2．手指の動き	3．語順
4．手指の形	5．頭の動き	6．顔の表情
7．体の向き	8．手のひらの向き	

問　(4)

ア	
イ	
ウ	

(5) （ ア ）が1969（昭和44）年に発行した『わたしたちの手話』は、手話を（ イ ）で紹介したわが国では初めての本格的な手話単語集でした。それは、（ ウ ）として位置づけられています。

1．全国手話研修センター　　2．全国手話通訳問題研究会
3．全日本ろうあ連盟　　4．イラスト　　5．文章
6．日本語対応手話　　7．映像　　8．標準手話

問	(5)
ア	
イ	
ウ	

(6) （ ア ）の交付があれば、障害福祉の窓口に申請することで（ イ ）の交付を受けられます。しかし、両耳の聴力レベルが（ ウ ）未満の場合は、（ ア ）が交付されないため制度の対象外となり、全額自己負担となります。

1．障害者年金手帳　　2．身体障害者手帳　　3．厚生年金手帳
4．筆談ボード　　5．補聴器　　6．携帯電話
7．40デシベル　　8．70デシベル

問	(6)
ア	
イ	
ウ	

(7) 私たちは、（ ア ）を使いお互いの感情や意思を伝えあっていますが、（ ア ）よりも表情、視線、身振りなどのほうが、より大切な役割を担っていることがあります。これらの（ イ ）には、メイクや服装、呼吸や（ ウ ）などもはいります。

1．頭脳　　　　2．ことば　　　　3．声の調子
4．指文字　　　5．言語コミュニケーション
6．非言語コミュニケーション　7．文字　　　8．メール

問	(7)
ア	
イ	
ウ	

(8) 世界には数千もの言語があるといわれていますが、その伝達方法をみると、音声言語と（ ア ）言語に二分されます。音声言語は（ イ ）に依存するだけではありません。文字は音声言語を（ ウ ）したものです。そのため、文字はろう者も聞こえる人も双方が共通に利用できます。

1．視覚化　　　2．視覚　　　3．聴覚　　　4．標準化
5．方言　　　　6．概念　　　7．筆談　　　8．手話

問	(8)
ア	
イ	
ウ	

<table>
<tr><th>会場コード</th><th>級</th><th>県コード</th><th>整理番号</th></tr>
</table>

1 級 読み取り試験解答用紙(1)

名 前

※この用紙を折ったり曲げたりしないでください。
※鉛筆（ＨＢ）で濃く、はっきりとていねいにマークしてください。
※所定欄以外にはマークしたり、記入したりしないでください。
※正解は１問につき１つだけなので、同一問題の解答欄に２つ以上マークをしないでください。
※マークを修正する場合は、消しゴムであとの残らないようきれいに消してからマークしてください。
①会場コード・級・県コード・整理番号を記入し、その下のマーク欄にマークしてください。
②名前も記入してください。

受験番号

ﾄｱﾏ	ﾄｻﾏ	ﾄﾅﾏ	ﾄﾏﾏ	ﾄﾗﾏ	5級 ﾄ5ﾏ	ﾄ0ﾏ	ﾄ0ﾏ	ﾄ0ﾏ ﾄ0ﾏ	ﾄ0ﾏ
ﾄｲﾏ	ﾄｼﾏ	ﾄﾆﾏ	ﾄﾐﾏ	ﾄﾘﾏ	4級 ﾄ4ﾏ	ﾄ1ﾏ	ﾄ1ﾏ	ﾄ1ﾏ ﾄ1ﾏ	ﾄ1ﾏ
ﾄｳﾏ	ﾄｽﾏ	ﾄﾇﾏ	ﾄﾑﾏ	ﾄﾙﾏ	3級 ﾄ3ﾏ	ﾄ2ﾏ	ﾄ2ﾏ	ﾄ2ﾏ ﾄ2ﾏ	ﾄ2ﾏ
ﾄｴﾏ	ﾄｾﾏ	ﾄﾈﾏ	ﾄﾒﾏ	ﾄﾚﾏ	2級 ﾄ2ﾏ	ﾄ3ﾏ	ﾄ3ﾏ	ﾄ3ﾏ ﾄ3ﾏ	ﾄ3ﾏ
ﾄｵﾏ	ﾄｿﾏ	ﾄﾉﾏ	ﾄﾓﾏ	ﾄﾛﾏ	準1級 ﾄ1ﾏ	ﾄ4ﾏ	ﾄ4ﾏ	ﾄ4ﾏ ﾄ4ﾏ	ﾄ4ﾏ
ﾄｶﾏ	ﾄﾀﾏ	ﾄﾊﾏ	ﾄﾔﾏ	ﾄﾜﾏ	1級 ﾄ0ﾏ	ﾄ5ﾏ	ﾄ5ﾏ	ﾄ5ﾏ ﾄ5ﾏ	ﾄ5ﾏ
ﾄｷﾏ	ﾄﾁﾏ	ﾄﾋﾏ	ﾄﾕﾏ	ﾄｦﾏ		ﾄ6ﾏ	ﾄ6ﾏ	ﾄ6ﾏ ﾄ6ﾏ	ﾄ6ﾏ
ﾄｸﾏ	ﾄﾂﾏ	ﾄﾌﾏ	ﾄﾖﾏ	ﾄﾝﾏ		ﾄ7ﾏ	ﾄ7ﾏ	ﾄ7ﾏ ﾄ7ﾏ	ﾄ7ﾏ
ﾄｹﾏ	ﾄﾃﾏ	ﾄﾍﾏ	ﾄﾗﾏ			ﾄ8ﾏ	ﾄ8ﾏ	ﾄ8ﾏ ﾄ8ﾏ	ﾄ8ﾏ
ﾄｺﾏ	ﾄﾄﾏ	ﾄﾎﾏ	ﾄﾖﾏ			ﾄ9ﾏ	ﾄ9ﾏ	ﾄ9ﾏ ﾄ9ﾏ	ﾄ9ﾏ

〈良いマーク例〉
〈悪いマーク例〉 短いはみだし／傾斜はみだし／形／うすい／数字の記入

ストーリーの読み取り

ストーリー 1	問題 1	日本で懸念されていることは何ですか。	1	病院の不足
			2	医療従事者の不足
			3	薬の不足
			4	教育の不足
	問題 2	世界のトップレベルと言っていることは何ですか。	1	きれいな環境
			2	礼儀の正しさ
			3	充実した教育
			4	医療サービス
	問題 3	結果的に状況はどうなっていますか。	1	離職率が高い
			2	離職率が低い
			3	子どもが少ない
			4	離婚率が高い
ストーリー 2	問題 1	2019年では飢餓で苦しむ人は何人と言っていますか。	1	5億人
			2	6億人
			3	7億人
			4	8億人
	問題 2	国際社会が共通の達成目標として掲げたのは何と言っていますか。	1	COP15
			2	パリ協定
			3	ウィーン条約
			4	SDGs
	問題 3	目標の達成は何年までと言っていますか。	1	2025年
			2	2030年
			3	2035年
			4	2040年
ストーリー 3	問題 1	どんな自治体が増えていると言っていますか。	1	手話言語条例を施行する
			2	手話通訳者を設置する
			3	記者会見に手話通訳をつける
			4	手話まつりを開催する
	問題 2	ろう者と手話の理解を広めるため作られているのは何と言っていますか。	1	辞書と動画
			2	パンフレットと漫画
			3	辞書とホームページ
			4	パンフレットと動画
	問題 3	聞こえないと答えたらどんな対応をされましたか。	1	すみませんと言って立ち去った
			2	すみませんと言って筆談してくれた
			3	すみませんと言って手話を使ってくれた
			4	すみませんと言って音声認識アプリを使ってくれた
ストーリー 4	問題 1	デフリンピックは初めての大会のときどんな名称でしたか。	1	パラリンピック
			2	世界ろう者競技大会
			3	国際聴覚障害者競技大会
			4	世界ろう者スポーツ大会
	問題 2	東京で開かれるデフリンピックは何回目の大会ですか。	1	第19回
			2	第20回
			3	第25回
			4	第71回
	問題 3	デフリンピックの開催をきっかけに願っていることは何ですか。	1	ろう者のスポーツ選手が増えてほしい
			2	オリンピックにろう者選手がどんどん出場してほしい
			3	ろう者や手話の理解が定着してほしい
			4	手話言語法が制定されてほしい

第18回　全国手話検定試験

1級　読み取り試験解答用紙(2)

受験番号	会場コード	級	県コード	整理番号

受験番号マーク欄：
ㄷアㄱ ㄷサㄱ ㄷナㄱ ㄷマㄱ ㄷラㄱ　5級 ㄷ5ㄱ　ㄷ0ㄱ ㄷ0ㄱ　ㄷ0ㄱ ㄷ0ㄱ ㄷ0ㄱ
ㄷイㄱ ㄷシㄱ ㄷニㄱ ㄷミㄱ ㄷリㄱ　4級 ㄷ4ㄱ　ㄷ1ㄱ ㄷ1ㄱ　ㄷ1ㄱ ㄷ1ㄱ ㄷ1ㄱ
ㄷウㄱ ㄷスㄱ ㄷヌㄱ ㄷムㄱ ㄷルㄱ　3級 ㄷ3ㄱ　ㄷ2ㄱ ㄷ2ㄱ　ㄷ2ㄱ ㄷ2ㄱ ㄷ2ㄱ
ㄷエㄱ ㄷセㄱ ㄷネㄱ ㄷメㄱ ㄷレㄱ　2級 ㄷ2ㄱ　ㄷ3ㄱ ㄷ3ㄱ　ㄷ3ㄱ ㄷ3ㄱ ㄷ3ㄱ
ㄷオㄱ ㄷソㄱ ㄷノㄱ ㄷモㄱ ㄷロㄱ　準1級 ㄷ1ㄱ　ㄷ4ㄱ ㄷ4ㄱ　ㄷ4ㄱ ㄷ4ㄱ ㄷ4ㄱ
ㄷカㄱ ㄷタㄱ ㄷハㄱ ㄷヤㄱ ㄷワㄱ　1級 ㄷ0ㄱ　ㄷ5ㄱ ㄷ5ㄱ　ㄷ5ㄱ ㄷ5ㄱ ㄷ5ㄱ
ㄷキㄱ ㄷチㄱ ㄷヒㄱ ㄷ ㄱ ㄷヲㄱ　ㄷ6ㄱ ㄷ6ㄱ　ㄷ6ㄱ ㄷ6ㄱ ㄷ6ㄱ
ㄷクㄱ ㄷツㄱ ㄷフㄱ ㄷユㄱ ㄷ ㄱ　ㄷ7ㄱ ㄷ7ㄱ　ㄷ7ㄱ ㄷ7ㄱ ㄷ7ㄱ
ㄷケㄱ ㄷテㄱ ㄷヘㄱ ㄷ ㄱ ㄷ ㄱ　ㄷ8ㄱ ㄷ8ㄱ　ㄷ8ㄱ ㄷ8ㄱ ㄷ8ㄱ
ㄷコㄱ ㄷトㄱ ㄷホㄱ ㄷヨㄱ ㄷ ㄱ　ㄷ9ㄱ ㄷ9ㄱ　ㄷ9ㄱ ㄷ9ㄱ ㄷ9ㄱ

名 前	

※この用紙（2枚目）にも必ず、
①会場コード・級・県コード・整理番号を記入し、
　その下のマーク欄にマークしてください。
②名前も記入してください。

ストーリーの読み取り

ストーリー	問題	設問			選択肢				
ストーリー 5	問題 1	感染者数は累計で何人になったと言っていますか。	1	ㄷ⚊ㄱ	1,000万人以上				
			2	ㄷ⚊ㄱ	2,300万人以上				
			3	ㄷ⚊ㄱ	3,300万人以上				
			4	ㄷ⚊ㄱ	7,000万人以上				
	問題 2	何が普及したと言っていますか。	1	ㄷ⚊ㄱ	アルコール洗浄をすること				
			2	ㄷ⚊ㄱ	手洗いとうがいをすること				
			3	ㄷ⚊ㄱ	テレビ電話を利用して会議をすること				
			4	ㄷ⚊ㄱ	会社の飲み会を止めること				
	問題 3	ろう者や難聴者が感染した場合どんな課題が残っていると言っていますか。	1	ㄷ⚊ㄱ	検査や受診の情報保障				
			2	ㄷ⚊ㄱ	記者会見の情報保障				
			3	ㄷ⚊ㄱ	マスクのためにコミュニケーションが困難になること				
			4	ㄷ⚊ㄱ	会社や学校のウェブ会議や授業の情報保障				
ストーリー 6	問題 1	どんな意見を出しましたか。	1	ㄷ⚊ㄱ	テレビ番組に字幕を付けてほしい				
			2	ㄷ⚊ㄱ	聴覚障害者のための番組をつくってほしい				
			3	ㄷ⚊ㄱ	聞こえる人と同じ情報保障がほしい				
			4	ㄷ⚊ㄱ	障害者のための情報がほしい				
	問題 2	行政から言われたことは何ですか。	1	ㄷ⚊ㄱ	予算がなくてできない				
			2	ㄷ⚊ㄱ	聴覚障害者が求める情報がわからない				
			3	ㄷ⚊ㄱ	時間がなくてできない				
			4	ㄷ⚊ㄱ	聴覚障害者からの要望がない				
	問題 3	どういう見方をしていると言っていますか。	1	ㄷ⚊ㄱ	聴覚障害者は外国人という見方				
			2	ㄷ⚊ㄱ	聴覚障害者も人間であるという見方				
			3	ㄷ⚊ㄱ	人として平等ではなく聴覚障害者という見方				
			4	ㄷ⚊ㄱ	人として聴覚障害者も平等という見方				
ストーリー 7	問題 1	日本に暮らす外国人はどこの国から来た人が最も多いですか。	1	ㄷ⚊ㄱ	アメリカ				
			2	ㄷ⚊ㄱ	中国				
			3	ㄷ⚊ㄱ	韓国				
			4	ㄷ⚊ㄱ	ブラジル				
	問題 2	外国人が多くなることについてどう言っていますか。	1	ㄷ⚊ㄱ	多様な姿を見ることにより視野が広くなるので良い				
			2	ㄷ⚊ㄱ	多様な人々を受け入れるのは大変なことだ				
			3	ㄷ⚊ㄱ	多様な人々を見るのは珍しくておもしろい				
			4	ㄷ⚊ㄱ	多様な人々と交流するのは言葉が通じないから難しい				
	問題 3	日本に居る外国人についてどう言っていますか。	1	ㄷ⚊ㄱ	日本に暮らす外国人が不便のないように配慮する必要がある				
			2	ㄷ⚊ㄱ	外国人が増えすぎるのは良くない				
			3	ㄷ⚊ㄱ	多様性のある日本になるためにはもっと外国人が増えてほしい				
			4	ㄷ⚊ㄱ	もっと英語を使えるようになる必要がある				
ストーリー 8	問題 1	何を間違ったと言っていますか。	1	ㄷ⚊ㄱ	ID登録	問題 2	手話通訳者に電話通訳を依頼したのはなぜですか。	1	ㄷ⚊ㄱ 電話連絡が必要なため
			2	ㄷ⚊ㄱ	会員登録			2	ㄷ⚊ㄱ 料金確認が必要なため
			3	ㄷ⚊ㄱ	マイナンバーの登録			3	ㄷ⚊ㄱ 契約解除が必要なため
			4	ㄷ⚊ㄱ	購入手続き			4	ㄷ⚊ㄱ 会場予約が必要なため
	問題 3	電話リレーサービスのメリットは何だと言っていますか。	1	ㄷ⚊ㄱ	利用料が安い				
			2	ㄷ⚊ㄱ	24時間利用できる				
			3	ㄷ⚊ㄱ	利用登録事項で本人確認ができる				
			4	ㄷ⚊ㄱ	聴覚障害があっても電話を使える				
	問題 4	電話リレーサービスの利用で不安なのは何だと言っていますか。	1	ㄷ⚊ㄱ	WI-FI環境が不安定				
			2	ㄷ⚊ㄱ	サービス料金の請求額				
			3	ㄷ⚊ㄱ	初めて画面越しに会う手話通訳者の支援				
			4	ㄷ⚊ㄱ	個人情報の漏えい				

1級　筆記試験問題

受験番号	会場コード（カタカナ）	級	県コード	整理番号
		0		

名前

得　点

「デジタル技術の広がりで聴覚障害者の暮らしはどう変わると思いますか。あなたの思いを自由に書いてください。」

600字〜800字程度でまとめてください。

250

500

600

800

全国手話検定試験

「1級　筆記試験」メモ用紙

受験番号	会場コード (カタカナ)	級	県コード		整理番号		
		0					

名前	

5級

基本単語一覧表

基本単語一覧表では、一つの表現に対応する語彙（こい）がいくつかある場合もありますので、すべての語彙を併記してあります。

あ～お

愛[する]…愛情、情愛、可愛い、可愛らしい、可愛がる

挨拶…礼

間（空間・時間等）…期間

会う…出会う

合う…ふさわしい、〜的、適当、ぴったり、似合う、折り合いがつく、相当、適切、もってこい

青…碧、蒼、青色

赤…紅、赤い色、紅色

赤ちゃん…赤ん坊、赤子、ベビー

秋…涼しい、オータム

開ける…開く、開く、始める、オープン（開店等）、開会[する]

あげる（贈り物等）…贈る、与える、寄贈[する]、贈与

朝…起きる（目覚め等）、起床、おはよう（挨拶語）

浅い

明日（みょうにち）…明日、翌日、次の日

遊ぶ…遊び、ゲーム（遊戯等）

新しい…新た、新鮮

あなた…君

兄…お兄さん

姉…お姉さん

雨[が降る]…降雨

謝る（自分が相手に等）…詫びる、謝罪[する]

ありがとう…感謝[する]、お礼[をする]

有る…です

歩く…歩み、徒歩、歩行

安心…ほっとした

井

言うA…スピーチ、話す、述べる、話、しゃべる、告げる

言うB…発言[する]、話す

家…ハウス、ホーム（家等）

行くA…向かう（行く等）、出向く

行くB…向かう（行く等）、出向く、参る（行く等）

いくつ…何回、数値

池

囲碁…碁[を打つ]

石A…石ころ

石B…石ころ

医者…医師

椅子…座る（椅子等）、腰掛ける、乗る（自動車等）

忙しいA…忙しい、慌ただしい

忙しいB…忙しい、慌ただしい

位置…その場所、そこの所

いつ…月日、期日

一致[する]…合致[する]、合う（通じる等）、通じる、疎通

一緒…共に、同じ（一緒等）

犬…ドッグ

今…現在、只今

妹

居る…住む、滞在[する]

色…色彩

いろいろ…さまざま、種々、等

岩…岩石

上A

上B…上の方

受ける…受け止める

兎

歌

歌う

内…内側、内部

うどん[を食べる]

生まれる…産む、出産、お産、誕生、出生

海…海洋

うらやましい…欲しい

売る

映画…ムービー、シネマ

選ぶ…選択[する]、選考[する]、選定[する]、選抜[する]

円(お金の単位)

美味しいA…旨い

美味しいB…旨い

多い(数量等)…たくさん、いっぱい

大きい…大きな、でかい

オートバイ…バイク、スクーター

おかしい…怪しい、変だ、訝しい、不自然

お金…金

怒るA…むくれる、ふくれっ面

怒るB…怒り、憤る、腹を立てる

おしゃべり…冗舌

遅い(速度・時の経過等)…のろい、ゆっくり

教わる…学ぶ、習う、指導を受ける、履修[する]

夫…主人、亭主

弟

男…男の人、彼、雄

おとな…成人[する]、アダルト

驚く…びっくり[する]、驚き、驚愕[する]、驚嘆[する]、たまげる

同じ…同様、一緒(同じ等)

おにぎり…おむすび

おはようございます

覚える…記憶[する]、記念、メモリ(IT用語)

おめでとう…祝う、祝い

思う

面白い…愉快、おかしい、楽しい

おやすみなさい

おやつ

終わる…終わり、終える、しまい、終了、した(完了等)、足りる

音楽…演奏[する]

女…婦人、彼女、雌

か～こ

会

会社…企業

会話[する]…話す(会話)

買う…購入[する]、買収[する]

帰るA…帰り

帰るB…帰り、帰ってくる

書く

数…数、算数、数字

家族…ファミリー

学校

悲しい…悲しむ

かまわない…よろしい、結構(許す等)、いいです(許す等)

紙…用紙、四角

カメラ…写真機、写す(カメラ等)、撮る(カメラ等)

通う…通勤、行き来[する]

～から…～より、～とか

川

考え[る]

簡単…易しい、容易、素朴、平易、簡易

木…樹、樹木、木曜日

黄…黄色

聞く…耳に入る

聞こえないA…聞いていない

聞こえないB…聾、聞いていない

北

きのう…昨日

休憩[する]…休息[する]、ゆったり[する](気持等)、ゆっくり[する](気持等)

今日…本日

教育[する]…教える、指導[する]

競技…スポーツ、体育、競争[する](スポーツ試合等)

兄弟

嫌い…嫌う、嫌、嫌がる、したくない

きれい…美しい、麗しい、清い、無くなる、さっぱり[する](気分等)、治る(病気等)

金…金曜日

草…緑、緑色

曇り

〜くらい（程度等）…程、そろそろ

暗い…夜、こんばんは、陰気

暮らし…生活［する］、暮らす

来るA

来るB…やって来る

苦しい

車いす…車（車輪等）、両輪

黒…黒色

携帯電話

ケーキ

ゲートボール

結婚［する］…婚姻

月曜日…月、お月さま、〇月

けれども…でも、しかし、ところが、だが

けんか［する］A…戦う、争う、争い、戦争［する］、
　　　　　　　　　太刀打ち、闘争

けんか［する］B…暴力

元気…頑張る、張り切る、健全

健聴…普通に聞こえる

検定

剣道［をする］

高校…高等学校、高等部

紅茶

交流［する］…交わる

口話

声［を出す］…音声

コーヒー

国語

ご苦労さま…お疲れさま、ありがとう（慰労等）

午後…午後ずっと

午前…午前中、午前ずっと

答え［る］…報告［する］、告知［する］

子どもA…子、子女、チャイルド

子どもB…子、幼児、赤ちゃん、幼い、チャイル
　　　　　ド、児童

困る

ゴルフ［をする］…打つ（ゴルフ等）

今度…もうすぐ、間もなく、程なく

こんにちは

こんばんは

サークル（同好会等）…同好会

最初…初めて、一番始め

坂

魚［が泳ぐ］

酒…日本酒

サッカー［をする］

寂しい

さようなら…バイバイ、手を振る、見送る

残念…遺憾、しまった（失敗等）

時

時間

式…式典

試験［をする］…テスト［をする］

自己紹介［する］

次女…二女

下A

下B…下の方

した（過去、完了の助動詞）

肢体不自由

質問［する］…伺う、〜か？

自転車［をこぐ］…サイクリング

自動車…車（自動車等）

次男…二男

島

姉妹

事務…一般事務

社会…世の中

ジュース

集会…集まる、集まり、集い、集う

柔道［をする］…投げる（担いで等）、投げ飛ばす（担
　　　　　　　　いで等）

主婦

趣味…大好き

手話［をする］…話す（手話で等）

手話通訳［をする］

小

障害者

小学校…小学部

将棋［を指す］

上下A
上下B
正午…十二時、0時、こんにちは、昼
上手…上手い
昭和…モダン
職業…仕事[する]、労働[する]、勤務[する]、働く、職、事業、稼働[する]
親戚…親類、血がつながっている
心配[する]…心細い、不安
新聞
水泳[をする]…泳ぐ
スキー[をする]…滑る(スキー等)
スケート[をする]
少し…少ない(量等)、僅か、ちょっと
スポーツ[をする]…運動[をする]
すみません…ごめんなさい、申し訳ありません
相撲[を取る]
する(行為等)…やる(行為等)、施行[する]、取り組む(活動等)、行為、行使[する]
生徒
世話[する]…面倒を見る、介護する、取り扱い、おもてなし
先生…教員、教師、指導員
洗濯[する]…洗う(洗濯等)
全部…全て、全体、まるごと、完全
双生児…双子
祖父…おじいさん(親族)
ソフトボール
祖母…おばあさん(親族)

た～と

田
体育…スポーツ、運動[する](スポーツ等)
大学
大工
対象…向かい、向かい合う、対面[する](物と物等)
大丈夫…出来る、～れる(可能の助動詞)、～られる(可能の助動詞)
大切[にする]…大事[にする]、重要、貴重
太陽…お日さま、日が昇る
高い(金額等)…高額、高価

高い(高さ等)…高くなる(高さ等)
助ける…手伝う、補助[する]、助長、ヘルプ
立場…立つ
建つ(家等)…建てる(家等)、創立[する]、創設[する]
卓球[をする]…ピンポン[をする]
谷…渓谷
楽しい…嬉しい
頼む…依頼、願う、お願い
食べる…食う、食事[する]、ご飯
駄目…バツ、間違っている、いけない
誰…身元、名前は?
小さい…小さな、ちっぽけ
近い
違う…異なる
力…能力
父…お父さん、父親、親父、パパ
茶A
茶B…茶色
中学校…中学部
聴覚
長女
長男
通学[する]…学校に通う
通訳[する]…紹介[する]、案内[する](観光案内等)、ガイド(ガイドブック等)
使う…出費、支出、消費[する]、出る(お金等)、行使[する]
疲れる…疲労[する]、倦怠
次…順番
作る…仕事、働く、作業、製造[する]、工作[する]、木工
土…砂、土曜日、土壌
妻…家内、女房
強い…強力、力強い、力がある、有力
釣り…釣る
テーマ
テニス[をする]…庭球
出る(家等)…出発[する]、発つ、スタート[する]
テレビ
店員
点字[を読む]

電車

電話

どう？…どうですか、いかがですか

動物…獣

遠い…離れている

得意…自慢[する]

独身…独り者、シングル（独身等）、独りぽっち

どこ…いずこ

どちら…どっち、とにかく、ともかく、両方

とても…大、大変、非常に、極めて、すこぶる

隣り（右隣り）…次

隣り（左隣り）…次

友達…友人、友、フレンド

鳥

な〜の

無い

中…中

長い

なかなか

仲間

仲良し…親しい、親密、睦ましい、友情

泣く

夏…暑い、煽ぐ（うちわ等）、南、サマー、納涼（大きく、ゆっくり動かす）

何か？…何、どうしたの？

名前A…名、名称

名前B…名、名称、バッジ、員、メンバー

成る程…ほう（感動詞）、へえー（感動詞）

難聴…市（地名等）

苦手…不得意

西

日曜日A

日曜日B

庭…庭園

猫

鼠

寝る…就寝、泊まる、宿泊[する]、おやすみ（挨拶語）

年…年

年齢…歳、いくつ？（何歳）

飲む（コップ等）

は〜ほ

入る

白杖[をついて歩く]

橋…橋を架ける

はじめまして（挨拶語）

場所…所、どこ

走る…駆ける、急ぐ（走る等）

走る…ランニング、ジョギング

バス（乗物）

恥ずかしい…顔が赤くなる

バスケットボール

パソコン…パーソナルコンピュータ

バトミントン[をする]

花…フラワー、咲く（花等）

バナナ

母…お母さん、母親、おふくろ、ママ

浜…浜辺

早い…速い、素早い、急行

林

原…原っぱ、野原

春…暖かい、スプリング、ホット

晴れ…明るい（光等）、陽気

バレーボール

番号…ナンバー

日

火…火曜日

ピアノ[を弾く]

ビール[の栓を抜く]

東

低い（高さ等）…低くなる（高さ等）

左の方…左方、左、左側

筆談[する]

人

人々…人たち

表現[する]…表す、提示[する]、掲げる、示す（提示等）、現す、示唆する

表情

ファクシミリ…ファックス[をする]

夫婦…夫妻

深い

冬…寒い、冷たい、冷める(温度等)、ウインター、
　　アイス(アイスコーヒー等)

古い…旧

文

平成

下手…下手くそ、へぼ、拙い

便所A…トイレ、お手洗い

便所B…トイレ、お手洗い、WC

保育所…保育園

方向…指針、磁石(磁石盤等)

方法…やり方、仕方、手段、どうする、どうしよ
　　　う

星[が光る]

欲しい…好き、好み、〜したい(望み等)、望み、望
　　　　む、嗜好

ポスター…掲示[する]、国語

補聴器[をかける]

殆ど…大体、大部分、おおむね、おおよそ、ほぼ、
　　　十中八九

本…書籍、書物、図書、ブック

ま〜も

孫

まずい(食物等)…美味しくない

また…再び、再度、二回目

まだまだ…まだ、未だ

町…町

待つ…待機

松

まで…最後、終わり、終点(駅等)、究極

真似る…模倣、模擬、同じ事をする

マラソン[をする]…長距離走

蜜柑

右の方…右方、右、右側

短い

水

水…川、沢、流れ[る](水等)、水曜日

店

道…通り、道路

身振り…しぐさ、ジェスチャー

見る…見つめる、注目する、見据える

ミルク

みんな…皆、皆さん

虫…バグ(IT用語)

難しい…できない、きつい(困難等)、困難

息子…倅

娘…お嬢さん

村…農村、田舎、畑、鍬

メール[をする]

眼鏡

盲…目が見えない

もう一度…もう一つ、あと一つ

持つ…享有

貰う…頂く

森

問題…岡、同、関

や〜よ

野球[をする]A…ベースボール、打つ(野球等)

野球[をする]B…ベースボール、打つ(野球等)

安い(金額等)…低額、廉価

休み…休む、休日、休暇

山

山登り…登山

郵便

ゆっくり(気持等)…ゆったり(気持等)

指文字[をする・でつづる]

良い…善い、好い、吉、吉、良好

幼稚園

読む…朗読

よろしく…よろしくお願いします

弱い…弱る、軟弱、か弱い、ひ弱い、弱々しい、力
　　　を抜く

ら〜ろ

ラーメン[を食べる]

ラジオ[を聞く]

理科…実験[をする]

離婚[する]…離縁、別れる(離婚等)

両親…親、父母

料理[する]…調理[する]、包丁で切る
りんご(果物)
列…一列に並ぶ
練習[する]…稽古[する]
連絡[する]…伝える、知らせる、伝言[する]
聾唖A
聾唖B
老人…年寄り、お爺さん(非血縁)

わ

若い
分からない…知らない、関係ない
分かる…分かっている、知る、知っている
別れる…別れ、離れる、久しぶり、しばらくぶり、
　　　　ご無沙汰しています(挨拶語)

忘れる
わたし(私)A…あたし、僕、我、俺
わたし(私)B…あたし、僕、我、俺
わたし(私)C…自分、自分自身、自分でやる、シ
　　　　　　　ングル

笑う…可笑しい
悪い…駄目、いけない、すまない(謝る等)

序数詞

0
1
2
3
4
5
6
7
8
9
10A
10B
11
12
13
14
15
16
17
18
19
20
30
40
50
60
70
80
90
100A
100B
千A
千B
万A
万B
億A
億B
兆A
兆B

一
二
三
四
五
五級
四級
三級
二級
準一級
一級

指文字

あ～ん

濁音

ラジオ

半濁音

プロ

促音

ヨット

拗音

しゅみ

長音

ケーキ

4級

基本単語一覧表

4級の基本単語は、5級の基本単語と以下の単語が対象です。また、一つの表現に対応する語彙がいくつかある場合もありますので、すべての語彙を併記してあります。

あ～お

アイロン[をかける]
あさって…明後日、二日後
紫陽花
あとで…後程、少し待って
アパート
編む…編み物[をする]
飴
合わせる…合併[する]、合体[する]、合同、一体
案内[する]（導く等）…ガイド[する]（導く等）、手引[する]（導く等）、手を引く（介助等）

以下
イカ
以外A…他
以外B…別、外
生け花…華道、生ける（花等）
以上
泉…泉が湧く
以前
急ぐ…急げ、早くしろ、急く、急き立てる
板…プレート
苺

141

一時間（例：三時間）

一日…一日中

一年

一年間

いつか（将来の月日）…いつですか、その内

一ヶ月

一ヶ月間

一週間

一周年…一年

一生懸命…一途、夢中、勉強［する］、健気

いつも…常に、毎日、始終、しょっちゅう

意図［する］…つもり

猪…牙

印象…記憶

上A

上B…先輩

牛

馬

梅

占い…占う、易、易断

英語

駅…ステーション、停車場

干支…十二支

海老

宴会［をする］

延期［する］…日延べ［する］

遠足…ハイキング

鉛筆

生い立ち…育ち

往復［する］…行き帰り、トンボ返り

オープン…開かれている（スペース、参加等）、開く（店、催し等）

丘…小高い

奥

送る（郵便等）…郵送［する］

遅れる（一定時間等）…過ぎる、遅い、オーバー（過ぎる等）

お好み焼き

遅い（速度・時の経過等）…のろい、ゆっくり

お年玉

おととい…一昨日、二日前

踊り…踊る、舞、舞う、舞踊

お参り…参拝［する］、詣でる、拝む、祈り、祈る、祈願［する］

重い…重さ、重量、目方

思い出…振り返る（過去等）

温泉

か～こ

カーペット…絨毯

海岸…渚

会計…勘定［する］、計算［する］

介護

解散［する］…散会［する］

外出［する］…出かける、逃げ出す、逃走［する］、抜け出る（脱走等）

会場

階段…段々（階段状等）

会費A

会費B

買物［する］…ショッピング

鏡

柿

鍵…キー（鍵）

家具

学生

各地…地方、方々、あちこち

過去…前（時間）、前回、いにしえ、かつて（過去等）、事前

傘［をさす］

風［が吹く］

勝つA…負かす、やっつける

勝つB…勝利［する］

蟹

鞄…手荷物、持つ（ぶら下げて持つ等）

神…拝む、祈る、祈願［する］、カリスマ

亀

カラオケ

軽い…軽さ、軽量

カレーライス…ライスカレー

カレンダー［をめくる］

カンガルー

観光［する］…見歩く

着替え[る]…更衣
菊
岸…岸辺
汽車…汽車で行く、旅行[する]、旅[する]
季節…四季、四季の移ろい
喫茶店…カフェ
切手[を貼る]
狐
キャンプ…テント
協会…連盟
行事…催し
教室…クラスルーム
行列…一列に並ぶ
去年…昨年、前年
キリン
銀行
近所…近隣
区
偶然…たまたま、まぐれ、運、都合、具合、事情
果物…フルーツ
靴[をはく]
靴下[を履く]
国…全国、国家
配る…配布[する]、仕分ける、分ける(品物等)
熊
クラブ…グループ、チーム、組、団体、班、集団
栗…茶色
クリスマス
苦労[する]A…大変、面倒、手間
苦労[する]B…大変、面倒、うざったい
計画[する]…プラン
敬老…高齢者を大切にする
ケーブルカー
景色…風景、眺め[る]
下駄
県…件
玄関
恋人
公園
交通
後輩
後半

交番…派出所、駐在所
黒板
コスモス
炬燵[に入る]
コップ[を持つ]
今年…本年
この間…この前、先日
これから…今後、以後、以降
今週

さ～そ

サーフィン[をする]
財布…貯金箱、募金箱
桜
さくらんぼ
茶道
皿…器
猿…モンキー
サンタクロース
散歩[する]…散策[する]
市…し(仮名)、7(数詞)
時…時間、場合、～とき、機会
Gパン
JR(ジェイアール)
鹿…鹿児島(地名)
静か…閑静、静寂
下
下着
私鉄
しばらく…少しの間、余暇、余地
締切り…締切る
閉める…閉じる、クローズ(閉店等)、閉会[する]
シャープペンシル…シャーペン
写真…写す(写真等)、撮る(写真等)
自由…放題
週間
週休二日
住所
週末
従来…前からずっと
塾

祝祭日…祝日、祭日、旗日
縮小[する]…減る（量等）、減少[する]、少なくなる、縮減[する]

手芸[をする]
順序…順番[に並べる]、次々に
正月…元日、一月一日
商店…バザー
消防…火を消す
将来…未来、今後、後、後（後何時間等）、前途、事後
職場…仕事場
食物…食べ物、食糧、食い物
書棚…本棚
書道…習字
新幹線
神社
身長…背丈
スカート
スカーフ
杉
少し前…さっき、先程
鈴[が鳴る]
雀
すっぽかす…約束を破る
捨てる…廃棄[する]、破棄[する]
ストーブ[にあたる]
スノーボード[をする]
スパゲッティ…パスタ
ズボン…パンツ（ズボン等）
墨[をする]
座る（畳等）…正座[する]
星座
成人式
セーター
石鹸
背広（シングル）
狭い（部屋等）…窮屈
先週…前の週、一週間前
前半
扇風機
象…予定[する]
雑巾[をかける]…掃除[する]（拭き掃除）、清掃[する]（拭き掃除）

育てる（人等）…養育[する]
卒業[する]A…修了[する]
卒業[する]B…修了[する]
ソフトクリーム
空
ソロバン[をはじく]

た～と

退院[する]
大会…総会
体重
大正
台所…厨房、キッチン
台風…暴風
滝…瀑布
タクシー[で行く]
竹
だけ（ひとつ等）…のみ（ひとつ等）、ひとつだけ
凧…凧揚げ[をする]
畳
竜…辰、龍、竜、龍
七夕…七月七日
狸
タバコ[を吸う]
食べ放題
卵…玉子、卵を割る
誕生日
ダンス[をする]…踊る（ダンス等）
団地
チーター
地下鉄
中止
昼食…昼飯、昼ご飯、ランチ
チューリップ
彫刻…彫る
朝食…朝ご飯、朝飯
町内会…町会
ちり紙…鼻（花）紙、ティッシュペーパー
通院[する]…通う（病院）
机…テーブル

続く…続ける、継続[する]、続投[する]、永続[する]

Tシャツ

ディナー…夕食、晩餐、夕飯、晩ご飯、晩飯

デート[する]…アベック、カップル

手紙[を書く]

徹夜[する]…夜通し、夜明かし

手袋[をする]

寺…寺院

天気…天候

電気…電灯

電気掃除機…掃除[する]（電気掃除機）、清掃[する]（電気掃除機）、モップをかける

電球

転居[する]…引っ越し、引っ越す、移設[する]

電子レンジ

電卓…電子式卓上計算機

都

戸[を閉める]

峠

当日

到着[する]

灯油

時々…時折、時たま

ドキドキ…鼓動（心臓）

時の経過…経つ（時間等）

扉…ドア

虎…タイガー

ドライブ[する]

トラック（自動車）

トレーニングシャツ

トレーニングパンツ

トンネル[を通る]

な～の

ナイフ…小刀、削る（ナイフで等）

仲違い…不和、不仲

梨

何故…どうして、理由、訳、意味

生ビール…ジョッキ

肉

日本…全国、国（日本）

入院[する]

入園式

入学[する]

入学式

入社[する]

鶏…かしわ（鶏）

沼

ネクタイ[をする]

寝坊[する]…朝寝坊、寝過ごす

年賀状

年始

年内

年末…歳末

ノート…帳面

残る…余る

飲み放題

は～ほ

パーティー[をする]

バーベキュー…焼き鳥を焼く

はがき

計る（物差し等）…測定[する]、計測[する]

鋏…切る（鋏等）

箸

柱

パッチワーク

発表[する]…案内[する]（放送等）、広報

初詣[をする]…初参り[をする]

鳩

花火…打ち上げ花火

花見

バラ

ハンカチ

パンダ

半分…半

日帰り…トンボ返り

光る…ピカッ（光等）

飛行機[が飛ぶ]

左…左側、左利き

羊

必要…用事、要る、所要、かかる（時間、費用等）、
　　　ねばならない、べき（〜するべき等）

ビデオカメラ

雛祭り

ひまわり

表

秒

美容

美容院

病院

開く…開く、開ける、開会[する]

昼間…日中、一日、一日中、朝から晩まで

広い（部屋等）…広々[する]

広がる…広まる、流行[する]、拡散[する]

琵琶（楽器）

府

封筒…封をする

増える（量等）…多い（量等）、たくさん、いっぱい
　　　　　　（積み重なり等）

フォーク（食器）

服…衣服

藤…山梨（地名）

豚

ぶどう（果物）

布団[をかける、に入る]

船…船舶

不要…不必要、要らない、かからない（時間、費用
　　　等）

ふるさと…郷土、故郷、出身地

風呂[に入る]…入浴[する]

分（時間）

塀…垣根

平均[する]

ベッド…寝台

蛇

部屋…室、ルーム、範囲

勉強[する]…学習[する]、学ぶ

放課後

箒…掃除[する]（箒等）、清掃[する]（箒等）

帽子[をかぶる]A…かつら

帽子[をかぶる]B

ボウリング[をする]

ボールペン

ポスト…郵便ポスト、郵便受け

蛍

ボタン…釦

ホテル

仏…拝む、祈る、供養[する]

ま〜も

毎朝

毎週

毎週○曜日

毎月

毎年

毎晩

負けるA…敗れる

負けるB…敗れる、やられる（勝負等）

祭りA…祭典、フェスティバル、神輿を担ぐ

祭りB…祭典、フェスティバル、打つ（太鼓等）

窓

招く…誘う、呼ぶ

マフラー[をする]…襟巻き[をする]

マンション

右…右側、右利き

ミシン[をかける]

湖

見た

港

耳の日

宮…社

土産[をあげる]…プレゼント[をする]、贈り物[を
　　　　　　　する]

見る…眺める

民宿

昔

明治…水戸

毛布

もっと…更に、しかも、一層、二倍、倍増

物

モノレール

紅葉

焼きそば[を作る]
役所…役場
約束[する]…予約[する]、誓う、アポイント
優しい…穏やか
止める…止める・中止[する]、打ち切り、ストップ[する]

遊園地
夕方…夕刻、夕暮れ、夕べ
郵便局
床
雪[が降る]
夢
用意[する]…準備[する]、支度[する]
曜日
汚れ…汚い、ゴミ
ヨット[を走らせる]
呼ばれる

ライオン…獅子
来週…翌週、一週間後
来年…明年、翌年
リス
リモコン…リモートコントローラー
理容…理髪、散髪、床屋、植木屋
旅館…宿
旅行[する]…旅[する]
留守…不在
冷蔵庫
レインコート…雨合羽
レストラン
連休
ロープウェイ

ワイシャツ…児童
ワゴン車…ワンボックスカー、ジャンボ（飛行機等）

割引[する]…半分[にする]、分ける（半分等）
湾
ワンピース

一番・一等
二番・二等
三番・三等
一段（初段）
二段
三段
一流
二流
三流
第一
第二
第三

北海道
青森
岩手
秋田
宮城
山形
福島
栃木
茨城
群馬
千葉
埼玉
東京
神奈川
山梨
新潟
長野
岐阜
富山
福井
石川

静岡
愛知
三重
滋賀…琵琶
京都
大阪
奈良
和歌山
兵庫
岡山
広島
鳥取
島根
山口
香川
徳島
愛媛
高知
福岡
佐賀
長崎
大分
熊本
宮崎
鹿児島
沖縄

3級

基本単語一覧表

　3級の基本単語は、5級・4級の基本単語と以下の単語が対象です。また、一つの表現に対応する語彙がいくつかある場合もありますので、すべての語彙を併記してあります。

あ〜お

アイスクリーム
相手
諦める…断念[する]、がっかり[する]、落胆[する]
アクセル(自動車)
顎… 頤
　　おとがい
朝顔
足
小豆
汗[をかく]…暑い
あだ名…ニックネーム、通称
熱い…ホット(熱等)
穴子
アヒル
甘い…砂糖、スイーツ
鮎
慌てる…バタバタする、焦る
暗記[する]
胃
行き止まり…行き詰る(交渉等)、突き当たり、突き当たる、袋小路
いきなり…不意に、突然、突如、急に、唐突、突発

意見[を出す]

痛い…痛み

一時停止[する]（自動車等）

いっぱい（器の中身等）…たくさん、山盛り、大盛り

威張る…なまいき、ツンとすます

違法…反則[する]、違反[する]、破る（規則等）、不法

入口

受付…フロント（受付等）

嘘…偽り、法螺、虚偽

右折[する]…曲がる（右折）

腕…腕(かいな)

鰻

裏…裏側

煩い…喧しい、騒々しい

運転[する]（自動車等）…ハンドル

運動会…競技会

絵[を描く]…絵画

ええと

枝豆

えのきだけ

エスカレーター[で上がる]

エレベーター[で上がる]

エンジン…働く（機械、思考等）

延長[する]

追い越し（自動車等）…追い越す（自動車等）

追い抜き（自動車等）…追い抜く（自動車等）

応援[する]…声援

横断歩道

応用[する]

オーケー（OK）…グッド

オーバー（衣服等）…コート（衣服等）

お菓子…スナック菓子

落ちる（試験等）…落とす（試験等）

おでん

おとなしい（性格等）…安全

同じ…そうそう、その通り

思いやり

玩具

表…表面、面

カード[を入れる]

カーナビ…カーナビゲーション

貝

会議[する]…協議[する]、ミーティング

ガイドヘルパー

代える…交代[する]、取り替える、代替、代替え

蛙

顔…顔面(つら)、面

学芸会

拡大[する]…増える（量等）、増大[する]、多くなる、広がる（面積等）

学年

学力

賢い…利口、頭がよい

貸す…貸与[する]

ガソリン[を入れる]

肩

固い…堅い、硬い、強化

片仮名

形…タイプ、様式

がっかり…落胆[する]、しょんぼりする、やるせない、せつない

学級

かっこいい

合唱…みんなで歌う、コーラス

活動[する]…運動[する]（社会活動等）、取り組む、活躍[する]

カップ（賞品等）…優勝カップ

家庭…ホーム（家庭等）

仮名…平仮名

蕪

南瓜

我慢[する]…忍耐[する]、耐える、辛抱[する]

かも知れない…怪しい（疑念等）

辛い…辛味、カレー

体…身体、ボディー

借りる…借用[する]、レンタル

川崎（地名）

感激［する］…感動［する］、感心［する］、感服［する］

関西

漢字

感じ［る］

関節

関東

監督［する］…指導［する］、指示［する］、動く（裏で等）

消える…失う、紛失［する］、無くなる、無くす、乾く、治る、解消、喪失、不明、消失［する］

機関紙

技術…技能、技量、テクニック、技法

基礎

北九州（地名）

キノコ（茸）

厳しい…辛い、きつい（厳しい等）

基本

決める…決定［する］、処する（決定等）

客…来客、来賓、迎える（客等）、招く（客等）、ゲスト

逆転［する］…どんでん返し、ひっくり返す

キャベツ

救急車

九州…九州地方

給食

牛乳

胡瓜

教科書…指導書

競争［する］（出世、成績等）…競い合う（出世、成績等）、競り

教頭…副校長

興味［を持つ］…興味をそそられる、関心［を持つ］

距離

キロメートル

金額

近畿

緊急

禁止［する］…禁じる、駄目、バツ（×）

空腹…空きっ腹、腹ぺこ、腹が減る

薬…薬剤、医薬品

口

唇

クッキー

首…頸部

比べる…比較［する］

グラム（g）

繰り返す…回す、回転させる、応用、リピート

グループ

黒豆

経験［する］…慣れる

警察官…警官、お巡りさん

怪我［する］…傷を負う、傷だらけ

劇［をする］…演劇、芝居［をする］、演じる

けち（けちんぼ等）…けちんぼ、しみったれ、打算

ケチャップ

血液…血

結果…結ぶ

血管

決行［する］

決勝

決心［する］…決意［する］、覚悟［する］

欠席［する］

健康…無病息災、健全

研修［する］

合格［する］…通る（試験等）、受かる（試験等）

講座

交差点…十字路

講習会

更新［する］

校長…学長

神戸（地名）

越える…越す

氷…削る（氷等）、アイス（氷等）

心…気、魂

快い…心地よい、気分がよい、快適、嬉しい、楽しい、満足［する］、醍醐味

腰

胡椒

小遣い

言葉

断る…拒む、拒否［する］、拒絶［する］、峻拒、抑止

五分五分…同じになる

牛蒡

胡麻[をかける]
コミュニケーション[する]
米
紺…紺色
コンタクトレンズ[をつける]
コンニャク(食品)
コンビニ…コンビニエンスストアー

さ～そ

最高…ベスト、最大限
さいたま(市)
最低
堺(地名)
探す…捜索[する]
相模原(地名)
作文
左折[する]…曲がる(左折)
札幌(地名)
薩摩芋
里芋
サラダ
参加[する]…加わる(参加等)、入る(仲間に等)
山菜
試合[をする]…ゲーム(スポーツの試合等)
幸せ…幸福、幸い、福
シイタケ(茸)
シートベルト
塩…塩分
叱られる…叱る(○○が自分を等)、注意を受ける
事故
四国
指示[する]…指図[する]
施設
舌…べろ(舌等)
叱責[する]…叱る、注意[する](叱る等)
失敗[する]…しくじる、だめだった、不良(不良品等)

事務員
事務所
地元
じゃがいも…馬鈴薯

車検
ジャム[を塗る]
集会
渋滞[する]…車が混む
修理[する]…修繕、直す(修理等)、改良する
授業参観A
授業参観B
宿題[をする]…ホームワーク
主食
出席[する]
順位…順序、順番
生姜[をすりおろす]
障害…故障[する]、折る、壊す、一部損壊、決裂
消極的…ネガティブ
証拠…免許、証明[する]、賞
少女
賞状[を渡す]
冗談…ジョーク
商店街
少年
勝負[する]…ぶつかる(スポーツの試合等)、一騎打ち
小便[をする]…尿、おしっこ[をする]、排尿
消防車
醤油
食堂
助手…アシスタント
女性…女子、女の人たち
しょっぱい
調べる…調査[する]、探す、検査[する]、監査[する]、測定[する]、査察[する]

城
白…白い、白色
信号…交通信号
心臓
腎臓
身体障害者
新年会
心配…危ない、危うい、不安
審判[をする](スポーツ等)…ジャッジ[をする]、判定[する]

酢

西瓜

水族館

スーパーマーケット…スーパー(店等)

凄い…もの凄い、圧巻

少し…少ない(量、時間等)、僅か、ちょっと、ちょっぴり、若干

寿司[を握る](にぎり寿司)

進む…進める、進行[する]、前進[する]

スタート[する](自動車等)…発進[する](自動車等)、発車[する](自動車等)

酸っぱい…酸味

成功[する]…上手くいく

青年…若者、若い人、若人

生物

責任…担当[する]、担う、責任を負う、役割

積極的…ポジティブ

説明[する]…話、説く、述べる、陳述

背中…背

専攻科

選手…プレーヤー(選手等)

センター(施設等)

仙台(地名)

センチメートル

専門学校

騒音…雑音

操作[する]…オペレーション、運転[する](機械等)

そうだ(同意等)…その通り

相談[する]…協議[する]、検討[する]

雑煮

ソース(調味料)

ソーメン[を食べる]

蕎麦[を食べる]

それぞれ…各々

た〜と

鯛

体育館

退学

体験[する]…体験した

大根

大豆

大便[をする]…うんこ、便、糞

タイヤ

倒れる(立っている物等)A

倒れる(転ぶ等)B…転ぶ(人等)、転倒[する]

互い…お互い、相互

たけのこ

蛸

たこ焼き

正しい…正直、真面目、正当

立て替える…焼く、焼肉

卵焼き

玉ねぎ

タンカー

単語

男性…男子、男の人たち

担任

地下

地下街

地図…行き方

茶色

茶漬け

注意[する]…気をつける、用心[する]

中央

中華料理…中国料理

中国(地方)

注射[を打つ]

蝶…蝶々

腸

チョコレート

付き添い…付き添う

漬物…お新香、香の物

手

定期券

停止[する](自動車等)

停留所…バス停

出口

転校[する]

点滴[をする]

天ぷらA

天ぷらB…揚げる(天ぷら等)

電力
東海
唐辛子…鷹の爪
同窓会
道徳
当番…担当
豆腐
東北
トウモロコシ…トウキビ、コーン
読話[する]
図書館
土地…土壌
トマト
トラブル…もめごと、いざこざ、ごたごた
取る…奪う、獲得[する]、取得[する]
トロフィー
丼もの…○○丼(天丼等)
トンボ(昆虫)

な～の

名古屋(地名)
茄子
納豆
鍋
波
涙[を流す]…哀れ
なめこ
悩みA…悩む
悩みB…悩む、途方に暮れる
匂い…匂う、香り、香る
苦い…苦味
にぎやか…にぎわい、人出が多い
肉屋
入門…入る(所属等)、飛び込む
煮る…炊く、炊事
人形
人間
人参
ニンニク[をすりおろす]
葱

値段…価格、値踏み[する]、価値、評定[する]、
　　　評価[する]
脳…頭の中
喉

は～ほ

歯
葉…葉っぱ
パーセント(%)
肺
白菜
はしご[を登る]
外れる…それる、的はずれ
パセリ
バター[を塗る]
肌…皮膚
裸[になる]
裸足[になる]…素足
罰…注意[する](叱る等)、禁物
罰金
発表会
パトカー
鼻
浜松(地名)
腹…おなか
パン
反省[する]…省みる
PTA…保護者会、父母会
ピーマン
飛行機[が飛ぶ]
膝
肘
ひじき(海藻)
美術…絵画
非常識…失礼、非礼、無礼、マナーが悪い、理不尽
額…おでこ
左寄り…左に寄る、左に寄せる、左、左側
ビフテキ…ステーキ(牛肉等)
暇…余裕、ゆとり
百貨店…デパート
病気[になる]…病、疾病、疾患、患う

153

びり…最下位、どん尻、どん穴、おちぶれる

ビル…建物、会館

部

プール(水泳場)

副…準じる、付く(付属品等)

副食…おかず、惣菜

フクロウ(梟)

無事

不足[する]…足りない、欠乏

不注意…油断[する]、うっかりする

フットサル

踏切…遮断機

プリン

触れ合い…タッチ(接触等)

ブレーキ(自動車)

ブロッコリー

文化

文化祭

臍

弁当

忘年会

訪問[する]…訪ねる、伺う(訪問等)、家に行く

ほうれんそう

ホームヘルパー

北信越

北陸…北(下ろした両手2指を大きく左右へ引き離す)

補欠

保健

保護者

骨…骨子

頬…ほっぺた、クリーム(化粧品等)

ボランティア…一緒に歩く

本当…事実、実際、現実、真実

ま〜も

舞茸

鮪

マジック(手品等)…手品、奇術

混ぜる…混ぜ合わせる、濁る

真っ直ぐ…直進[する]、不退転

松茸

豆…つぶ(つぶ飴等)

守る…注意[する]

眉毛…眉

マヨネーズ

漫画

饅頭…団子

満腹…腹一杯

右寄り…右に寄る、右に寄せる、右、右側

味噌…捏ねる(棒で等)

緑…緑色

身につける…習得

耳

脈[をとる]

茗荷

麦

胸

紫…紫色

無料…ただ(無料等)、無償

目…眼

迷惑[する]…不機嫌

メートル

メダル…勲章

免除[する]…取り消す、取り除く

申し込む…申請[する]、エントリー

盲導犬

目的…的中、当たり、当たる、命中、ずばり(当たる等)

目標

もし…例えば、仮

文字

基づいて…元

桃…桃色、ピンク、ピンク色

もやし

モラル…マナー、エチケット、常識、道徳

門…ゲート(門等)

や〜よ

八百屋

役A…係

役B…係

野菜

柔らかい…ソフト（柔らかい等）

優勝［する］

有名…あがる（名前等）、知られている

ゆずり葉

豊か

指

百合

許さない…認めない、承認しない、否認［する］

許す…許可［する］、認める、承認［する］、承諾［する］

養護学校

要約筆記

横浜（地名）

酔っぱらい…酔いどれ

2級

基本単語一覧表

２級の基本単語は、５級・４級・３級の基本単語と以下の単語が対象です。また、一つの表現に対応する語彙がいくつかある場合もありますので、すべての語彙を併記してあります。

ら～ろ

ライバル…好敵手

楽…軽い、手軽、助かる、容易

らしい…だろう、ようだ、多分、でしょう、みたいだ

落花生…ピーナッツ

陸上競技

留学［する］…留学に行く

ルール

歴史［がある］

レタス

蓮根…蓮（野菜）

労働［する］…仕事［する］、作業［する］、産業、工事［する］

浪人［する］

露天風呂…野天風呂

ロボット

わ

分かる…分かっている、知る、知っている

わさび［をすりおろす］

あ～お

相変わらず…依然として、前から同じ

間（時の流れ等）

赤字

飽きる…つまらない

預かる

預ける…預かってもらう

頭の働き…回転［する］（頭等）

厚かましい…図々しい、面の皮が厚い

あっけない…あっという間、一瞬

アトラクション…余興

アナウンサー

油

網…ネット

アメリカ（国名）…アメリカ合衆国（国名）、米国（国名）

歩み寄り…歩み寄る

あらゆる…なんでも

現れる…表れる、表現される

アルコール（飲用）A

アルコール（薬用）B…薬用アルコール、消毒（アルコール等）

アルバイト[をする]…臨時工
アレルギー
案…案が浮かぶ、提案[する]
アンケート[をする]
暗証…暗証番号、パスワード
安静[にする]
あんまりだ(やりすぎ等)…オーバー(過ぎる等)
Eメール
医院
生き方
生きる…生、しっかり[する]
意志
意地
虐める…虐め、いびる、からかう、なぶる
異常
一任[する]…委任[する]
市場…商店街
命…生命
威張る…自慢[する]
衣服…洋服、服[を着る]
イヤリング
いよいよ…迫る(締切日等)、間近
以来
入れ違い…すれ違い
印鑑…印、判子、判[を押す]、捺印[する]、決裁[する]
印刷[する]
インスタント…即席、即座
インストール
インターネット
インフルエンザ
ウイスキー
動く(世の中等)…変わる(世の中等)
疑う…疑わしい、怪しむ、いぶかる、胡散臭い
打ち合わせ[をする]…事前相談、事前協議
ウニ
生まれつき…生まれながら、生来、先天性
売り切れ…売り切る
煩い…喧しい、騒々しい、耳鳴り
売れ残り…売れ残る
浮気[する]
運営[する]

運賃割引
運命…命運、運
NHK(エヌエイチケー)…日本放送協会
NPO(エヌピーオー)…特定非営利活動法人
エネルギー
エリート
演題…テーマ
応急処置
応接間…客間
嘔吐[する]…吐き気、げろ[する]、大嫌い
OHP…オーバーヘッドプロジェクター
オーバー(過大等)…おおげさ、過度、過剰、突破、極端
おかげ…おかげさま
屋内信号灯
起こる…生じる、出てくる(出来事等)、現れる(出来事等)、出来事
奢る…奮発[する](お金等)
納める…納入[する]、貢ぐ
おしゃれ…おめかし
落ちこぼれ[る]
落ち着く
お手上げ…降参[する]、参った
驚くA…びっくり[する]、驚き、驚愕[する]、驚嘆[する]、たまげる
驚くB…びっくり[する]、驚き、驚愕[する]、驚嘆[する]、たまげる
帯
お盆
思い切ってA…思い切る、破天荒
思い切ってB…思い切る、決心[する]
思いつき…閃き(考え等)
親孝行[する]…親を大事にする
親不孝[する]…親に反抗する
織る…織物、機織り

か〜こ

課
蛾
ガードマン…警備員
会員…メンバー(会員等)

解決[する]…片付ける（仕事・用事等）、処理[する]、始末する、果す

解雇[する]…首にする

外国

介護福祉士

会社員…社員

快晴…青空

海藻

会長

回覧板

飼う…養う、飼育[する]

かかあ天下

係長

書留

隠す…しまう（入れ納める等）、保留、留保

カクテル（飲み物等）

火事…火災

ガス

風邪[を引く]…感冒

片思い

肩書…ポスト（地位等）

肩凝り

課長

必ず…絶対、きっと、定める、定期、指定、是非、定例

金持ち…富豪、大尽

庇う…庇護[する]、守る（庇護等）

下半身

株…証券

株式会社

壁

雷[が落ちる]…稲妻

鴨

かゆい…かゆみ、むずがゆい

ガラス

カロリー

皮

眼科

環境…周り

関係…繋がり、結びつき

歓迎会

関係ない…無関係[になる]

頑固…頭が固い

看護師

関心[を持つ]

感染[する]…移る（病気等）

感想…思ったこと

缶詰[を開ける]

乾杯[する]

議員

気温…温度、あがる（気温等）

気が合う…気持が通じる

機械…動く（機械等）

議会

議決[する]

期限…期日、期末

基準

キス[する]…接吻、くちづけ

期待[する]

汚い…ゴミ

議長

きちんと…ちゃんと、やっぱり、やはり

きっかけ…契機

切符…乗車券、駅

気長…気が長い

気に入らない

寄付[する]…寄贈[する]

希望[する]

基本給

決まり（規則等）…規則、規程、規律

決める…決定[する]、処する（決定等）

気持…心地、気分

着物…和服

規約

キャンセル[する]…解約[する]、取り消す（約束等）

休職[する]

求職[する]…仕事探し

休養[する]

給料…給与、サラリー、受給

行政A

行政B

協力[し合う]…助け合う

漁業

禁煙[する]

金魚

禁酒[する]…酒に弱い、酒はダメ

空港…飛行場

腐る…腐敗[する]

苦情[を言う]…文句[を言う]、クレーム[をつける]

癖[になる]…癖、身につける、習得、修得

具体的

口紅

工夫[する]

雲…雲が動く

悔しい…口惜しい

クラゲ

クリーニング…洗濯してアイロンをかける

繰り越し

グルメ…食通

クレジットカード

黒字

加える…追加、付け足す、添える、添付[する]

訓練[する]…トレーニング[する]、鍛える(身体等)

刑

経過…履歴、プロセス

蛍光灯

警察署

競馬…走る(動物等)

経理事務

競輪

ケーブルテレビ

外科

激励[する]

化粧[する]

削る(鉛筆等)…少しずつ、一部ずつ、サービス

血圧

月給

欠勤[する]

決算

下品

煙…煙が出る、煙が立つ

下痢[する]

原因…要因

研究[する]

現金…キャッシュ、実費

献血[する]

原稿…表

検索[する]

検診

兼任[する]…兼務[する]、兼ねる、掛持ち

鯉

コインロッカー

更衣室

講演[する]…演説[する]

効果[がある]…効き目[が]ある、効力

講義[する]

工業…歯車、稼働、機器

合計

高血圧…血圧が高い

口座

交際[する]…交わる

講師

工場…工場

香水[をつける]

高速道路…ハイウェイ

交通機関

交通事故[を起こす]

興奮[する]

候補者…立候補者

公民館

公務員

コウモリ(蝙蝠)

公立

高齢…年寄り(加齢等)、年を取る、年を重ねる、エイジング

高齢化

呼吸[する]

国民

試みる…試す、やってみる

個人…自己、私、プライベート

個性

戸籍

コック

孤独

この頃…最近、近頃、昨今、この所、今頃

コマーシャル…CM

細かい…詳しい、詳細、詳らか

誤魔化す…騙す、欺く、偽る、惑わす

顧問

恐い…恐怖、恐ろしい、恐れる、怯える、びびる、畏怖[する]

根性

懇談会

コンピュータ

混乱[する]…ごちゃごちゃ、騒ぐ、荒い(荒っぽい等)

さ～そ

サービス[する]

災害

採血[する]

財団法人

裁判官…判事

裁判所…法廷

採用[する]…雇用[する]

材料

サウナ

刺身…お造り(刺身等)

さすが

冷める(熱意等)…熱が冷める

覚める…目覚める

サラリーマン

サロン

残業[する]

賛成[する]…賛同[する]、挙手[する]、手を上げる

サンドイッチ

死A…死ぬ、死亡、死去、亡くなる、没する、逝去、永眠、逝く、往生、臨終

死B…死ぬ、死亡、死去、亡くなる、没する、逝去、永眠、逝く、往生、臨終

歯科

司会

資格

自覚[する]

しかたない…しようがない、諦める

時間給…時給

支持[する]…支える(人等)

支持される…支持を受ける、支えられる(人等)、協力を受ける

地震…揺れる(床、地面等)

自信…信念、ポリシー

自然…天然、生じる、起こる、出る(症状等)、きっかけ

従う…供する、ついて行く

自治会

失業[する]…失職[する]

実現[する]

実行委員会

実施[する]…実行[する]

実習[する]…インターンシップ

失敗[する]…どじ、へま

湿布[する]

失恋[する]

指定席

自動的

自動販売機

品物…物品

支払い…支払う

耳鼻咽喉科

渋い…渋味

字幕

自慢[する]…なまいき

社会福祉協議会

社会福祉法人

社団法人

社長

しゃぶしゃぶ(料理名)

邪魔…目の上のたんこぶ、支障

謝礼[を渡す]…お礼[を渡す]

シャンパン

習慣…慣用

週刊誌

集金[する]

就職[する]

重態…重体、病気が重い

集中[する]…一心不乱

住民

159

住民票
受講生…受講者
主催[する]
手術[する]
出世[する]…昇進[する]
出張[する]
主任…主役
種類
手話通訳士
私用
消化[する]…こなす(食物等)、咀嚼[する]
上級
商業…商売、商い、店
賞金
常勤
条件
上司…上役
状態…様子、状況、情勢、動静、風潮、局面
上達[する]…熟達[する]
焼酎
消毒[する]
小児科
上半身
賞品
上品…見事、立派、格が高い、気品がある、美徳
情報[を得る]
条約
初級
職業安定所
助言[する]…アドバイス[する]
初診料
所得…収入
市立
私立
資料
視力
人工内耳[をつける]
診察[する]…診療、打診[する]
人事課
真珠
身体障害者手帳
診断書

進歩[する]
水道
スープ…飲む(スープ等)
すき焼き
直ぐ…直ちに、直ぐさま、早急に
救う…救助[する]
すっかり忘れる…きれいに忘れる
ストレス[が溜る]
素直…率直
素晴らしい…すてき、上手くいった、成功[する]
スピーチ…コメント、話、話す、言う
滑る(転倒等)…滑って転ぶ
スマート…スリム、痩身、痩せる
炭
性…セクシャリティ
政治
青春
精神
成績
制度…揃える、準備[する]、用意[する]
成長[する]…育つ、発育[する]
性別
生理…月経
整理[する]…整頓[する]、片付ける(部屋等)
世界…国際、理事、ワールド
咳[をする]
接待[する]…サービスする(客等)、もてなす(客
　　　　　　等)、接客[する]
絶対…必ず、きっと
説得[する]…口説く、言及
節約[する]…倹約[する]、エコノミー
選挙[する]
戦争[する]…合戦、戦
専門
倉庫…蔵
葬式…葬儀、弔い
想像[する]…イメージ[する]
早退[する]…早引け[する]、中座[する]
送別会
総務課
組織…機関、方式(やり方等)
その通り

そのまま

ダイエット[する]…減量[する]

対応[する]…対処[する]

体温計…体温を測る

大韓民国(国名)…韓国(国名)

代休

退職[する]

大切[にする]…大事[にする]、貴重、重要、惜しい、もったいない

代表…トップ、先頭、抜き出る、卓越、選抜

逮捕[する]

タイムカード

タイムレコーダー

ダウンロード

倒れる(体調不良等)…寝転ぶ、転ぶ

鷹

宅配便

たくましい…強靭、元気になる、力がある、活性

助かった…やっと、ようやく、何とか、どうにか、ほっとした

尋ねる…聞く(尋ねる等)、伺う、問い合わせ

例えば…仮、もし、例

黙る…沈黙[する]、静かにする、秘密

ため(目的等)

だるい…気だるい、かったるい

単位

短気…気が短い

だんだん(上がる、成長等)…次第に、徐々に

暖房

地域…区域、地区、地元

地下道

地球

遅刻[する]…遅くなる(時間等)、時間がかかる

知識

地方自治体

中級

中耳炎

中小企業

中心

抽選[する]…くじ引き

挑戦[する]…チャレンジ[する](闘い等)、挑む(闘い等)

聴力…聞く力

朝礼

貯金[する]…預金[する]、ポイント[を貯める](点数等)

治療[する]…セラピー

ついで…併せて

通常貯金…普通貯金、普通預金

通信(郵便等)

通訳[する]

つき合い…つき合う、交際[する]、よく会う

燕

つまみ

つまらない…馬鹿らしい、馬鹿馬鹿しい、興ざめ

つまり…要するに、まとめる、総務、統合、総合、概要

詰まる…つっかえる(管等)、梗塞

罪

積立…貯める(お金等)

梅雨

鶴

手当(お金等)

DVD(ディーブイディー)

定員

定期貯金…定期預金

低血圧…血圧が低い

抵抗[する]

亭主関白

定年[になる]

手遅れ

適性検査

デザート

デジカメ…デジタルカメラ

手続き[をする]

手取り

照れる…はにかむ、恥じらう

転勤[する]

転職[する]…仕事を変える

伝染[する]…病気が流行る

展覧会

党

倒産[する]…破産[する]、潰れる（破産等）

同時…かち合う（予定等）

当選[する]…取り上げる

当然…もちろん、当たり前、むろん

投票[する]…入れる（投票等）

登録[する]

討論[する]…議論[する]

ドーナツ

朱鷺

特別…特に、特殊、格別、臨時

途中…中途、挫ける、挫折[する]、諦める（途中で等）

惚ける

共稼ぎ[をする]

努力[する]

泥棒…盗む、窃盗

なーんだ…そうだったの、まあいいか

無い

内科

内容…中身

懐かしい…思い出す（過去等）

納得[する]

納得できない

夏ばて…夏負け、暑さ負け

なまいき

滑らか…スムーズ

慣れる

憎い…憎む、憎らしい

逃げる…逃れる、逃走[する]、避難[する]

虹

似ている…似る、類似

ついて…だから、ので

日程…スケジュール

荷物…手荷物、持つ（両手に持つ等）

ニュース

人間関係

妊娠[する]A…身重、懐妊[する]、身籠もる、孕む

妊娠[する]B…おなかが大きい、身重、懐妊[する]、身籠もる、孕む

認定[する]…認める

塗る

濡れる…ずぶ濡れになる、ビショビショになる

値上げ[する]

値下げ[する]

寝たきり…寝たまま、ベッド

熱…熱がある

ネックレス

寝付けない…眠れない

熱心…意欲

値引き[する]…負ける（値引き等）、値下げ[する]

寝不足…睡眠不足、寝足りない

眠る…睡眠、眠くなる、目をつぶる

年金

捻挫[をする]…挫く

農業…耕す

ノーマライゼーション

のんき…考えていない、気がつかない、頭が空っぽ

バーゲンセール…安売り

パートタイム

パイナップル

俳優…役者、芸能人

馬鹿…間抜け、戯け、とんま

禿

派遣[する]…差し向ける

恥[をかく]

恥ずかしい

パスワード…暗証番号

旗

パチンコ[をする]

はっきり[する]…確か、濃い（色等）

発見[する]…見つける

バリアフリー

ハロー…やあ（出会いの挨拶）、よお（出会いの挨拶）、じゃあね（別れの挨拶）

ハローワーク

半額…半値、割引料金

番組

反抗[する]…逆らう、振る(異性等)、肘鉄砲、造反

絆創膏[を貼る]

反対[する]…考えがぶつかる

判断[する]A

判断[する]B…分かれ目

ハンバーガー

ハンバーグ

販売[する]

非…非常

惹かれる…魅力[がある]

非常口…避難口

美術

美人…美女

ビデオテープ

避難場所…避難所

秘密[にする]…内緒[にする]、内密[にする]、暗黙

費用…経費

○○病…○○症

評議[する]…評議員

病状…症状、容態、病態

評判…噂、風聞

貧血

ファン(ひいきする人)

不安[になる]

不運…悲運、アンラッキー

フォーラム

フォローアップ…フォロー[する]

部下…子分

副会長

福祉

福祉事務所

福祉センター

複写…コピー

不幸…不便

二通り…二つに分ける、区別[する]

部長

普通…通常、一般、平等、在り来たり

不適当…不当、合わない、似合わない、折り合いがつかない、折り合いが悪い、不適切

不動産

太る…肥える

部品

不満…不平、不服、不満足

不満爆発…切れる(忍耐等)

プライバシー…私事、内緒事

ブラインド(日除け等)…日除け

フリー

フリーター

プログラム…順番(プログラム等)

プロジェクター…映写機

文書

平気…平然、事もなげ

ベテラン…熟練者

変…変てこ、不自然、おかしい、異常、奇妙、異次元

弁護[する]

編集[する]…編纂[する]

便通…排便

便秘

便利…便宜

保育士

法…法律

防災

奉仕[する]…苦労をかける

放送[する]

包帯[を巻く]

放っておく

ボーナス…賞与

ホームページ

朗らか…明るい(性格等)、陽気

募金[する]…カンパ[する]

保険

保健所

誇り[を持つ]…プライド

欲しい

募集[する]…呼び集める、招集[する]

保障

保証[する]

保存[する]…保管[する]、温存[する]

163

ほっとした…やれやれ、助かった、息を抜く

惚れる…恋慕

本格…本番

本社

本籍

本人

本音[を出す]…本心、白状[する]

ぼんやり…ぼんやりする、ぼうっとする、ぼけっとする

ま〜も

迷子[になる]

マイペース

任す…任せる、委ねる、課す、寄託[する]

まさか…信じられない

まし(どちらかと言えば良い等)

貧しい…貧乏[する]、不足[する]、足りない、貧困

マニュアル…手引き書

迷う…惑う、戸惑う、心が揺れる

満員…充満、満杯、いっぱい

満足[する]

見合い[する]…顔をつなぐ

見直す

見本

見舞い[をする]…見舞う

未練[が残る]

民生委員

虫歯

無断欠勤

名刺

命令[する]…命ずる、言いわたす

メーカー…製造業者、製造元

目覚まし時計…振動式腕時計

目覚める…目を開く

珍しい…目新しい

メニュー…献立

目まい…酔う

メロン

面接[する]A…面会[する]、顔合わせ[をする]

面接[する]B…面会[する]、顔合わせ[をする]、見合い[する]、対面[する]

メンバー…成員、署名[をする]

文字放送

勿体ない…損失、損[する]、不利益(損になること等)

もてるA…人気[がある]、人がついていく

もてるB…人気がある、人望がある

や〜よ

焼き鳥…アイスキャンディー

役員

役員会

ヤクザ

薬剤師

役人

痩せる…げっそり[する](痩せる等)

辞める…辞退[する]、引退[する]

止める…取り止める、中止[する]、潰す(計画等)、無くなる(計画等)、無くす(中止等)、ダウン(IT用語)

ややこしい…複雑、目が回る

勇気

優先[する]…先にする、先に回す

輸血[する]

柚

要求[する]…要望[する]

洋裁[をする]

養子

洋室…洋間

洋食

養成[する]…育成[する]、育てあげる、育てる、育む

ヨーグルト

横綱

予算

予想[する]…予測[する]、でしょう[(雨が降るでしょう等)]

予備

予報[する]

予防[する]…防ぐ、自衛[する]、防衛[する]

ら～ろ

落語[を打つ]
乱暴[する]…暴れる
理解[する]
リストラ…リストラクチュアリング
立派
利用[する]…活用[する]、適用
両方…双方、どちらも
礼儀…行儀
冷房[する]
レクリエーション
レジャー
レベル
レポート
レントゲン[を撮る]…X線、レントゲン検査、X
　　　　　　　　　線検査

連盟…結束[する]
老眼
老人ホーム
ロマン

わ

ワイン…ぶどう酒
我儘…だだをこねる
和裁…縫う（運針等）
鷲
和室…日本間
和食…日本食
割り勘…頭割り

準1級

基本単語一覧表

準1級の基本単語は、5級・4級・3級・2級の基本単
語と以下の単語が対象です。また、一つの表現に対応す
る語彙がいくつかある場合もありますので、すべての語
彙を併記してあります。

あ～お

アイデア…アイデアが浮かぶ、発想
IT
曖昧…不確か、あやふや、うやむや
悪質
アクセス
悪魔
浅蜊
鯵
アジア
後始末[をする]…後ですませる
アニメ…アニメーション
アフリカ
溢れる（水等）…溢れ出る、洪水、氾濫[する]
アプローチ
甘える…甘ったれる
天下り
アマチュア…アマ（選手等）
操る…調整[する]
あやまち…間違い、誤る
改めて…新たに、別の機会に

165

改める…変わる、成る（変化等）、代替、改正、代替え

アルツハイマー病

アルミニウム

鮑

安定[する]

言い訳[をする]…弁解[する]、コロコロ変わる（話の内容等）

意外A…案外、思いがけず、思いのほか

意外B…思いがけない、知らなかった、初めて知った、へえー（感動詞）、ほう（感動詞）

胃潰瘍

医学

生きがい

いきなり…不意に、突然、突如、急に、唐突、突発、思わず、出し抜け

イギリス（国名）…英国（国名）

育児…子育て

イクラ

慰謝料

意地悪[する]…虐める

イスラエル（国名）

委託…一任[する]、任せる（人等）

板挟み[になる]

イタリア（国名）

一瞬…瞬間

稲荷寿司

イメージ[を作る]

イラン（国名）

鰯

引退[する]…辞任[する]、降りる（役職等）、退く（役職等）、退陣[する]

インド（国名）

インドネシア（国名）

インフレ…インフレーション

ウイルス

ウーロン茶

植える

嘘つき

内気…引っ込み思案

宇宙

移す…移動する

訴え…訴える

腕前…手腕

永遠…永久（えいきゅう）、永久（とわ）

影響[される]

影響[する]…波紋[が広がる]

エイズ

衛星

衛生…清潔

栄養…滋養

AED…自動体外式除細動器

ATM（エーティーエム）…現金自動預金支払機

エステサロン

枝

江戸

偉い…主な、○○長、親分、ボス

円滑…スムーズ

炎症

遠慮[する]…手を引く（控える等）、謙譲

オーストリア（国名）

補う…補充[する]、補足[する]、盛る（器に等）、充てる

お世辞[を言う]…おべっかを使う

穏やか

衰える…衰退[する]

オホーツク

思い違い…勘違い、誤解[する]、錯覚[する]

オランダ（国名）

降りる（台等）

オリンピック

温暖化…地球温暖化

か〜こ

蚊…蚊に刺される

改悪[する]…悪くなる、悪化[する]

介護保険

解消[する]…水に流す、無くなる（全て等）、精算[する]、壊滅、絶滅、全滅

改善[する]…良くなる、良化[する]

介入[する]…干渉[する]、手出し[をする]、でしゃばる、関与、侵犯

開発[する]

外務省
下院
返す…戻す、返却[する]
顔合わせ[をする]…面接[する]、面会[をする]、対面[する]

加害
科学…サイエンス
輝く…光る
牡蠣
核
学者
確定[する]
確認[する]
革命
閣僚
隠れる…潜む、顔を隠す
影…陰影
陰口…内緒話
賭け事…賭け、賭博、ギャンブル
可決[する]
重ねる…重なる、重複[する]、オーバーブッキング

課題
価値…値打ち
鰹
カナダ(国名)
花粉症
蒲鉾
烏
空…空っぽ、なにもない、留守
カルシウム
鰈
枯れる…しおれる
癌
考えに詰まる
環境省
観光案内[をする]
感情
完成[する]…完了[する]、完備
間接
幹部
漢方薬

管理[する]…マネージメント[する]
官僚
記憶[する]
企画[する]
危機…ピンチ、ハザード
起源…きっかけ、起こる(生じる等)
技師…技術者
気象庁
犠牲
貴重品
機能[する]
気味が悪い…むかつく、気に入らない、あんまりだ、不快

義務
キムチ
疑問…疑惑、疑い、疑う
虐待[する]
キャッシュカード
救済[する]…救出[する]
求人
急性
急用
器用
教会(キリスト教)
餃子
恐縮[する]
共通
脅迫[する]…ゆする、脅す
教養
銀…銀色
金属
緊迫[する]…切迫[する]、差し迫る、焦眉
空気…雰囲気、ムード
区議会議員
鎖…チェーン、繋がる
区別[する]…区分け[する]
組立て…組み立てる
蜘蛛
グレープフルーツ
グローバル
経営[する]
景気

頸肩腕
傾向…偏り
経済…エコノミー
経済産業省
刑事
芸術
継承[する]…受け継ぐ
刑務所
契約[する]…締約、ライセンス
経歴
劇場…シアター
激論[を交わす]A
激論[を交わす]B…議論が盛り上がる
けじめ[をつける]
削る(予算等)…削り取る、削ぎ取る、除く、控除
決着[する]…落着[する]
潔白…まっさら
結論
限界…限度、できる範囲
県議会議員
言語
健康保険
検察官…検事
原子
原子力発電
限定…区切る
現場
原爆…原子爆弾
憲法
原油
権利
語
故意…わざと、意図的に
合意[する]…認め合う、承認し合う、折り合う
幸運…ラッキー
公開[する]
後悔[する]…悔やむ、悔いる
公害
抗議[する]
公共
好況…好景気
皇后…皇后陛下

交渉[する]…折衝[する]
厚生年金
厚生労働省
拘束[する]…捕まる、束縛[する]、制約
皇太子…皇太子殿下
公認[する]
公平[にする]…均等[にする]
コーディネーター…コーディネート[する]
凍りつく…凍結[する]、冷凍[する]
互角…伯仲[する]、拮抗[する]、平等、均衡、相当[する]
小切手
国際
国際連合
国籍
国土交通省
克服[する]…突き破る
心構え…気構え
心細い
固執[する]…執着[する]
拘る
ご馳走
こつ(うまく行うための要領等)
国歌
国会…国会議事堂
国会議員
国旗
ごもっとも
雇用促進法
堪える…耐える、忍ぶ、我慢
懲り懲り…手に負えない、参った
コレステロール
壊れる…壊す、割れる(壺等)、割る(壺等)
根拠
昆布

さ〜そ

採決[する]
財産…資産、財、財団
サイズ…寸法[を採る]、採寸[する]
財政

最先端

最中…ただ中

裁判[をする]…フランス（国名）

財務省

鮭

ささやく…ひそひそ話、小声で話す

鯖

砂漠

差別[する]…差がある、差をつける

座薬[を入れる]

参議院

参議院議員

参考[にする]

賛否…可否

秋刀魚

支援[する]…サポート[する]

磁気ループ

事件

地獄

自殺[する]…自害[する]、自裁[する]

事実

蜆

自主

システム…仕組み

時代…時期

失効[する]

執行猶予

実態

湿度

実物

辞典…辞書、字引

司法

脂肪

地味

市民運動

指名[する]

湿り…湿る

視野…視野が広い、視野が広がる

シャーベット

社会保険

社会保障

視野が狭い…視野が挟まる

釈放[する]…解放[する]、無罪

州

収穫[する]…儲け[る]

衆議院

衆議院議員

宗教

充実[する]

就任[する]…就く（役職等）

十分…存分、目一杯、満（十分等）

主義…通す（考え等）

順調

上院

省エネルギー…省エネ

傷害…傷つける

生涯…一生、生まれてから死ぬまで

障害者権利条約

昇給[する]

焼香[をする]

正体

衝動

情熱…熱情

消費者…利用者

消費税

商品

省略…略す、省く

植物

ショック

署名運動[をする]…署名活動[をする]

処理[する]…きれいになくなる、クリア

シリーズ

素人

人格

神経

人権

人口

人工

申告…口頭で申し込む

人材

人事異動[をする]

人種

信じる…信用[する]、信頼[する]

人生

親切

慎重…用心深い、手堅い

心理

人類

進路指導

推進[する]

スイス(国名)

推薦[する]…推挙[する]

勧める…奨励

スペイン(国名)

狡い…狡い(こすい)、狡猾、卑劣

鋭い…繊細

スローガン…標語

性格…癖、質(性質等)

世紀

請求書

税金A…請求する(お金等)

税金B…請求される(お金等)

政権

制限[する]…上限

政策

正式…公式、フォーマル

精神病

成人病

贅沢[する]…荒い(金遣い等)、無駄遣い、浪費[する]

正当

政党

政府

生命保険

西洋…外国、外国人、外人

石炭

石油

セクハラ(男性へ)A…セクシャルハラスメント(男性へ)

セクハラ(女性へ)B…セクシャルハラスメント(女性へ)

設計[する]

絶交[する]…関わりない、縁を切る

全快[する]…全治[する]、完治[する]

煎餅

全力…総力

総計

創作[する]

総務省

総理大臣…首相、宰相

ソウル(都市名)

そぐわない…似合わない、反りが合わない(性格等)、気持ち悪い(感情的等)、気色悪い、軋轢

訴訟[を起こす]

祖先…先祖

そっくり…瓜ふたつ

損害賠償

尊敬[する]…尊重[する]、敬う、尊ぶ、仰ぐ(尊敬等)、顔を立てる、リスペクト

た〜と

タイ(国名)

対決[する]

大臣

大西洋

態度

大統領

太平洋

タイミング

代理…代わる、交替[する]、転換

対立[する]

妥協[する]

確かめる

多数決

たちまち…あっけない、あっという間、一瞬

種

タブー…禁句

騙される

騙す

溜まる…鬱憤

頼る(すが)…縋る

団塊…しこり

団子…串団子

単純[に考える]

チーズ

痴漢

着陸[する]

チャンピオン

仲介[する]…取り持つ、仲立ち[する]、仲人、繋ぐ、媒介

中国(国名)…中華、中華人民共和国(国名)

中途失聴

中途半端

注目[される]…注目を浴びる

注目[する]

注文[する]…オーダー(注文等)

中立

懲役

調停[する]…仲裁[する]

直接…直に

沈黙[する]…黙る、黙りこくる、押し黙る

ツアー

使い果す…使い切る

繋ぐ…絡める、関係[する]、関わる、繋がり、同盟、アライアンス

積み重ねる…積み重なる、累積[する]

提案[する]

提供[する]…分け与える、分配[する]

ディズニーランド

程度

丁寧…念入り

手落ち…手抜かり、漏れる(記載等)

敵

出来事

出来れば

デザイン[する]

デジタル

デシベル(音量の単位)

手数料

鉄

哲学

徹底[する]

デフレ…デフレーション

デメリット…欠点、短所

デリケート…繊細

テレビ電話

テロ

天狗になる…得意がる、鼻高々

天国

天使…エンジェル

伝統…歴史がある、代々、第(第〇回等)

天皇…天皇陛下

電報[を打つ]

デンマーク(国名)

ドイツ(国名)

銅… 銅(あかがね)

統一[する]…一元化

同感…同じ考え、思った通り、案の定

同時通訳[をする]

盗難…盗まれる

糖尿病

当面…当座、さしあたり、一応、臨時、暫定

東洋

動揺[する]

道路交通法

トータルコミュニケーション

遠回し…婉曲

得[する]…利益、儲け[る]

毒

特徴…特色、特性

独立[する]…自立[する]、独り立ち[する]

取引[する]…取り交わす(契約等)

ドル($)

な～の

内閣

殴る…ぶつ、ひっぱたく、暴力、暴行

成し遂げる…達成[する]、成就[する]

謎…クイズ、はてな

なまける…さぼる、ずるける、欠席[する]

生放送[をする]…実況放送[をする]

成る(変化等)…変わる

南極

日本海

ニュアンス

ニュージーランド(国名)

ニューヨーク(都市名)

睨み合い…睨み合う

人間ドック

認知症
根…根っこ
ネットワーク
根に持つ
ノイローゼ…神経症
能率
農林水産省
除く…外す、除ける、省く
海苔…焙る（海苔等）
ノルウェー（国名）

は～ほ

把握[する]…つかむ
ハーブ
バイキング
賠償[する]…請求[する]（お金等）
配慮[する]
蠅
爆発[する]…破裂[する]、炸裂[する]
パスポート
果す…遂げる、やり遂げる
蜂…蜂に刺される
蜂蜜
発行[する]…出版[する]、発刊[する]、披露[する]
発達[する]
発展[する]
派手…鮮やか
鼻が折れる…しょげる
パラリンピック
バランス[をとる]…つり合い、均衡
パリ（都市名）
ばれる…露見[する]、見抜かれる、見透かされる
パワー
ハワイ（地名）
判決
犯罪
半信半疑…疑わしい、本当かな
犯人
被害[を受ける]…弊害
僻む…嫉妬[する]、焼き餅、妬む
ひきしめる（気持等）…緊張[する]

否決[する]…合意しない
被告…被告人
ビジョン…展望
非難[する]…詰る、責める
皮肉[を言う]
否認[する]…許さない、認めない、承認しない
被曝[する]
批判[する]…非難[する]、責める、詰る
秘密[にする]…内緒[にする]、内密[にする]
評価[する]
表彰[する]
評判…噂、風聞、風の便り
比率…率、割合
品質
不安定…バランスが悪い
フィリピン（国名）
フィンランド（国名）
不可能…どうしようもない、間に合わない、できない（不可能等）
深める
普及[する]…広がる
不況…不景気
複雑…ややこしい、分かりにくい
復讐[する]…恨み、恨む、リベンジ、怨恨
不公平…不均等
不思議…妙な、不可解
侮辱[する、される]…屈辱、辱める
不正…不真面目
防ぐ…防御[する]、牽制[する]
付属[する]
不注意…油断[する]、うっかりする
物価
復活[する]…生き返る、返り咲く（地位等）、創立[する]、復興[する]
復帰[する]…元に戻る、立ち直る、更生[する]、復旧[する]、回復[する]
不適切
プラスチック
振られる（異性等）…除け者にされる、相手にされない、排除される
フランス（国名）
振り込み…振り込む

不良（不品行等）…駄目な人、卑しい、悪い、悪質
プレッシャー…威圧感、重圧感
プロ…プロフェッショナル、上手過ぎる
分科会
文学
文章
分担[する]
文法
文明
平行[する]…同時、同時進行
平和…ピース
へそ曲り…偏屈、ひねくれる、ねじける
ペット…愛玩動物
ベトナム（国名）
ヘリコプター
偏見
防衛省
貿易…交易、輸出入
冒険[する]…アドベンチャー、ベンチャー
放射能
方針…指針、向き、ポリシー
法務省
補助金…助成金
帆立貝
北極
保養[する]…静養[する]、労る（身体等）
香港（都市名）
本番
翻訳[する]

ま〜も

真心…真情
真面目…真剣
マスコミ…マスコミュニケーション
待ち合わせ
間違い…間違える、誤る、あやまち、誤解[する]、
　　　　いい加減
マッサージ[する]…あんま[する]
マルチ商法
マレーシア（国名）
実

見栄[をはる]
見落し…見落す
味方[する]
見事…何も言うこと無し
未熟
味噌汁
三つ葉
見抜く…見破る、見通す
身分証明
身分保障
未満
民主主義
民族
民法
迎える…招待[する]、どうぞ（こちらへ等）
無罪
無視される…相手にされない
無視[する]
矛盾[する]
名所…名勝
名人
名誉…誉れ、有名、栄誉
メーリングリスト
目が高い…見る目がある
メキシコ（国名）
目立つ
滅茶苦茶…むちゃくちゃ
メリット…利点、長所
免税
儲かる…儲け
盲点
黙認[する]…見ぬふりをする
餅
勿体ない…無駄遣い
物語
模範…モデル（模範等）、典型、ひな形
文部科学省

や〜よ

役立つ…役に立つ
火傷[する]

DVD使用上の注意

◎本書に付属のDVDビデオは、映像と音声を高密度に記録したディスクです。DVDビデオ対応のプレーヤーで再生してください。一部のパソコンでは再生できないことがあります。あらかじめご了承ください。

◎このディスクにはコピーガードがついていますので、コピーをすることはできません。

◎ディスクは指紋、汚れ、キズ等をつけないように取り扱ってください。

◎ディスクが汚れたときは柔らかい布を軽く水で湿らせ、内周から外周に向かって放射状に軽く拭き取ってください。

◎ディスクは直射日光の当たる場所や高温、多湿の場所をさけて保管してください。

◇本DVDならびに本書に関するすべての権利は、著作権者に留保されています。無断で複写・放送・業務的上映することは法律で禁止されています。

◇本DVDの内容を無断で改変すること、あるいは第三者に譲渡・販売すること、営利目的で利用することは法律で禁止されています。

◇本DVDや本書において乱丁・落丁、物理的欠陥があった場合は、不良個所を確認後お取り替え致します。本書とDVDディスクを合わせてご返送ください。

WEBでの視聴について

◎本書のDVDに収録された内容をWEBにて視聴することができます。

◎パソコン、タブレット、スマートフォンでご視聴いただけますが、お客様の接続環境等によっては一部の機能が動作しない場合や画面が正常に表示されない場合があります。また、本書の改訂や絶版、弊社のシステム上の都合などにより、予告なくサービスを終了させていただく場合があります。何卒ご理解いただき、ご容赦いただきますようお願い申し上げます。

DVDインデックス

5 級

- ・基本単語の読み取り（30問）
- ・短文の読み取り（10問）
- ・手話での表現と手話での会話参考解答①・②

4 級

- ・基本単語の読み取り（30問）
- ・短文の読み取り（10問）
- ・手話での表現と手話での会話参考解答①・②

3 級

- ・基本単語の読み取り（20問）
- ・短文の読み取り（7問）
- ・手話での表現と手話での会話参考解答①・②

2 級

- ・基本単語の読み取り（8問）
- ・ストーリーの読み取り（7問）
- ・手話での表現と手話での会話参考解答①

準1級

- ・基本単語の読み取り（8問）
- ・ストーリーの読み取り（7問）
- ・手話での表現と手話での会話参考解答①

1 級

- ・ストーリーの読み取り（8問）
- ・手話での表現と手話での会話参考解答①

これで合格！2024 全国手話検定試験　DVD付き

第18回全国手話検定試験解説集

2024年6月20日　初　版　発　行
2024年10月25日　初版第2刷発行

編　　集　　社会福祉法人全国手話研修センター
発 行 者　　荘村明彦
発 行 所　　中央法規出版株式会社
　　　　　　〒110-0016　東京都台東区台東3-29-1　中央法規ビル
　　　　　　TEL 03-6387-3196
　　　　　　https://www.chuohoki.co.jp/

装幀・本文
デザイン　　ケイ・アイ・エス
印刷・製本　　サンメッセ株式会社

ISBN978-4-8243-0068-3

本書の内容に関するご質問については、下記URLから「お問い合わせフォーム」にご入力いただきますようお願いいたします。
https://www.chuohoki.co.jp/contact/

A068